Vivre au
Moyen Âge

Tablette
de corne

Plumes pour écrire

Encriers de corne

Ange de bois
sculpté qui
décorait la nef
d'une église.

Anneau pontifical

Encensoir

Visage féminin
sculpté dans
la pierre

Cor
de berger

Reliquaire
du xiie siècle

Cornemuse

Vivre au Moyen Âge

Emblème de la Vierge Marie

Emblème du Christ

par

Andrew Langley

Photographies originales de Geoff Brightling
et Geoff Dann

Table à tréteaux

Les Yeux de la Découverte
GALLIMARD JEUNESSE

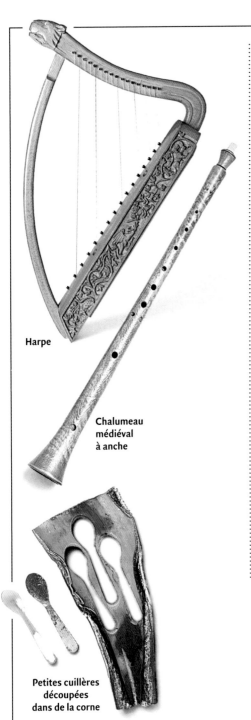

Harpe

Chalumeau
médiéval
à anche

Tête grimaçante
en pierre sculptée

COMMENT ACCÉDER
À LA GALERIE PHOTOS
DU LIVRE ET À UNE SÉLECTION
DE LIENS INTERNET

1 - SE CONNECTER

Rendez-vous sur le site Internet de Gallimard Jeunesse : www.gallimard-jeunesse.fr. Tapez le titre du livre dans l'outil de recherche du site. Vous accéderez alors directement à la page Internet de cet ouvrage.

2 - TÉLÉCHARGER DES IMAGES

Une galerie de photos est accessible sur cette page Internet. Vous pouvez y télécharger des images libres de droits pour un usage personnel et non commercial.

3 - CONSULTER DES SITES INTERNET

Sur cette page Internet, nous vous proposons une sélection de liens Internet particulièrement intéressants et riches sur les sujets traités dans ce livre.

IMPORTANT :

• Demandez toujours la permission à un adulte avant de vous connecter au réseau Internet.
• Ne donnez jamais d'informations sur vous.
• Ne donnez jamais rendez-vous à quelqu'un que vous avez rencontré sur Internet.
• Si un site vous demande de vous inscrire avec votre nom et votre adresse e-mail, demandez d'abord la permission à un adulte.
• Ne répondez jamais aux messages d'un inconnu, parlez-en à un adulte.

NOTE AUX PARENTS : Gallimard Jeunesse vérifie et met à jour régulièrement les liens sélectionnés ; leur contenu peut cependant changer. Gallimard Jeunesse ne peut être tenu pour responsable que du contenu de son propre site. Nous recommandons que les enfants utilisent Internet en présence d'un adulte, ne fréquentent pas les *chats* et utilisent un ordinateur équipé d'un filtre pour éviter les sites non recommandables.

Escabelle
à dossier

Collection créée par Pierre Marchand et Peter Kindersley

ISBN 978-2-07-066404-7
La conception de cette collection est le fruit
d'une collaboration entre les Editions Gallimard
et Dorling Kindersley
© Dorling Kindersley Limited, Londres, 1996
© Editions Gallimard, Paris, 1996-2010-2015, pour l'édition française
Loi n° 49-956 du 16 juillet 1949
sur les publications destinées à la jeunesse
Pour les pages 64 à 71 :
© copyright 2002 Dorling Kindersley Ltd, Londres
Édition française des pages 64 à 71 :
© copyright 2002-2010-2015 Éditions Gallimard, Paris
Traduction : Stéphanie Alglave - Édition : Thomas Dartige
Relecture-spécialiste : Brigitte Coppin, Historienne
Préparation : Sylvette Tollard - Mise en page : Octavo, Paris
et Bruno Porlier - Correction : Lorène Bücher - Flashage : IGS (16)
Dépôt légal : février 2015
N° d'édition : 274223

Imprimé en Chine par South China Printing Co. Ltd.

Gobelet

Couvert

Ecuelle
en bois

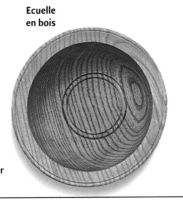

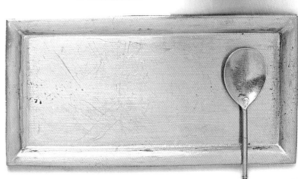

Petites cuillères
découpées
dans de la corne

Cruches en terre
cuite peintes pour
le vin ou la bière

Sommaire

Lit à baldaquin

Le Moyen Âge, âge moyen?

Inventée au XVIIᵉ siècle, l'expression Moyen Âge vient du latin *medium aevum*, qui a donné l'adjectif médiéval. Mais où situer ce Moyen Âge ? Il prend place dans l'histoire de l'Occident entre l'Antiquité gréco-romaine, qui s'achève au Vᵉ siècle, et la Renaissance, qui débute à la fin du XVᵉ siècle. C'est donc une très longue période de mille ans environ, longtemps considérée comme un âge sombre. Et pourtant cette époque de châteaux forts et de cathédrales a modelé le paysage dans lequel nous vivons et posé les bases d'une société chrétienne qui nous influence encore. Elle a aussi inventé l'université, le système bancaire, la notion d'État et bien d'autres éléments dans lesquels nous plongeons nos racines.

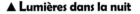

▲ Lumières dans la nuit
Pendant les temps barbares, l'art d'écrire et la connaissance du latin se sont maintenus dans les monastères. Cette lettrine, exécutée vers 800, est tirée du *Livre de Kells*, conservé dans la célèbre abbaye irlandaise de St. Columba.

Broches vikings

▲ L'empire byzantin
Au IVᵉ siècle, l'Empire romain se scinde en deux : la partie occidentale, groupée autour de Rome, décline au profit de l'Empire oriental, qui prend Constantinople (actuelle Istanbul) pour capitale. Le règne de Justinien (527-565) est un âge d'or pour l'empire d'Orient.

▲ ▶ Pilleurs des mers
Les premiers raids vikings le long des côtes européennes datent de la fin du VIIIᵉ siècle.

◀ Empereur d'Occident
Charlemagne (742-814) réussit à unifier un empire couvrant la France et l'Allemagne actuelles. Grand guerrier, excellent organisateur, il fut le défenseur du christianisme.

▶ Otton le Grand
Les tribus hongroises qui déferlèrent sur l'Europe au Xᵉ siècle furent arrêtées par le roi germanique Otton Iᵉʳ (912-973). Il se fit couronner empereur en 962, fondant ainsi le Saint Empire romain germanique.

Les temps barbares

En 476, le dernier empereur romain perd son trône et l'Empire romain s'écroule, percé de toutes parts par les invasions barbares qui détruisent les routes et le commerce. Les Francs s'installent en Gaule, les Saxons en Grande-Bretagne, les Goths en Italie. Ce siècle de désordre et les suivants furent souvent considérés comme des temps obscurs, mais ils méritent un autre regard. C'est sous Justinien que Constantinople devient l'une des villes les plus brillantes du monde et le règne de Charlemagne correspond en Europe à une époque d'âge nouveau, la Renaissance carolingienne. À cette époque, de nombreuses abbayes sont fondées dans lesquelles les moines développent une nouvelle écriture, la minuscule caroline.

400 - 800

Des rois puissants

Aux IXᵉ et Xᵉ siècles, l'Europe est secouée par de nouvelles invasions : les Vikings venus du nord et les Hongrois d'Asie centrale. Au milieu de tant de désordres, de nouveaux États émergent. Pour avoir soutenu le pape dans sa lutte contre les Barbares en Italie, Charlemagne reçoit en récompense la couronne impériale en 800 et instaure le Saint Empire romain. À l'ouest de cet empire, le royaume des Francs deviendra la France tandis que les successeurs d'Otton s'imposent à l'est en Germanie. En Angleterre, Alfred le Grand (871-899) monte sur le trône après avoir repoussé les Vikings.

800-1000

▲ Les Normands sont partout
Descendant des Vikings, Guillaume le Conquérant annexe l'Angleterre en 1066. À la même époque, d'autres Normands fondent un royaume en Sicile et en Italie du Sud.

▲ La Grande Peste
En 1348, la peste noire s'abat sur l'Europe, tuant jusqu'à la moitié des populations. Autour des villages décimés, la terre est en friche, faute de bras pour la cultiver. Prenant conscience de leur valeur, des paysans se révoltent.

▶ Croisades
Ces expéditions militaires entraînèrent les chevaliers occidentaux vers la Terre sainte (Palestine) tombée sous domination musulmane. La première croisade se termina par la reconquête de Jérusalem en 1099; les suivantes furent des échecs.

Heaume de croisé allemand

Crosse d'évêque

◀ Tête couronnée
Sans être un portrait réel, cette tête représente l'empereur Frédéric Ier Barberousse (1122-1190), qui fit l'unité de l'Allemagne et étendit sa mainmise sur l'Italie du Nord.

▶ Le pouvoir de l'Église
La société médiévale est soumise à l'Église qui possède d'immenses richesses et contrôle toutes les consciences. À partir du XIIIe siècle, l'Inquisition est créée pour chasser ceux qui n'obéissent pas à ses préceptes; les coupables sont excommuniés (exclus de la communauté des croyants) ou punis de mort.

▲ Génial!
Michelangelo Buonarroti, dit Michel-Ange (1475-1564), était à la fois peintre, sculpteur, architecte. Parmi ses œuvres, figure cette statue de David, aujourd'hui à Florence.

▲ La fin des monastères
En Angleterre, le roi Henry VIII (1491-1547) quitta l'Église catholique pour créer l'Église anglicane, qu'il plaça sous l'autorité royale. À ce titre, il fit fermer les grandes abbayes et annexa leurs richesses.

Santé, Prospérité
Après l'an mil, l'Europe se stabilise. Basée sur le système féodal, une société nouvelle se met en place. La paix progresse. La population s'accroît, les villes grandissent et les échanges de toutes sortes se multiplient. La fin du XIIe siècle voit la création de nouveaux ordres monastiques (franciscains, dominicains) et la naissance des cathédrales. C'est à Salerne, en Italie, que l'on crée la première université.

Guerres et Plaies
Le XIVe siècle est un siècle noir. Fin de la prospérité économique, épidémies de peste... À ces maux s'ajoute la guerre de Cent Ans, qui débute en 1337 entre la France et l'Angleterre, et le grand schisme d'Occident, qui déchire l'Église partagée entre plusieurs papes. En même temps, le commerce, plus prospère que jamais, enrichit les villes, comme en témoigne la Ligue hanséatique qui regroupe les cités maritimes du Nord.

Renaissance
La seconde moitié du XVe siècle est marquée par de grands changements: le catholicisme est ébranlé par la montée de la Réforme; les artistes et les lettrés, redécouvrant l'Antiquité, se mettent à représenter le monde différemment; de nouvelles techniques sont au point et les grandes explorations sont possibles; Portugais et Espagnols se lancent à travers les océans, créant de nouvelles routes maritimes.

1000-1250   1250-1400   1400-1540

La société médiévale

La société médiévale est divisée en trois ordres : ceux qui combattent (les chevaliers), ceux qui prient (le clergé) et ceux qui travaillent (les paysans et artisans). Ces ordres se trouvent liés par le système féodal qui repose sur un principe simple : le roi donne une terre, que l'on appelle fief, aux guerriers qui l'aident à faire la guerre et qui lui sont fidèles. Le guerrier, petit chevalier ou grand seigneur, reconnaît alors le roi comme son suzerain et lui manifeste sa fidélité lors de la cérémonie de l'hommage. S'il est comte ou baron, il divise à nouveau sa terre en nombreux fiefs sur lesquels vivent ses vassaux. Au sein du clergé, les abbés et les évêques sont aussi des seigneurs, possédant des domaines que font fructifier les paysans. Ceux-ci représentent la force économique de cette société basée sur la guerre d'un côté et sur la religion chrétienne de l'autre.

▲ Sous le regard de Dieu
Toute la société médiévale est chrétienne. À sa tête, le roi reçoit sa couronne de Dieu. Lors de la cérémonie du sacre, l'archevêque oint le nouveau souverain avec l'huile de la sainte ampoule, qui lui confère un pouvoir particulier.

▲ Au sommet de la pyramide
Plusieurs fois par an, le roi rassemble ses vassaux. Sur cette image française du XIVe siècle, on le voit présidant une assemblée, encadré par les barons d'un côté et par les évêques de l'autre.

▲ L'argent de la guerre
Le service militaire dû par le vassal au suzerain porte le nom d'ost. Plus le fief est important, plus il doit fournir de guerriers. Mais, dès le XIVe siècle, bien des vassaux préfèrent payer une taxe plutôt que d'aller faire la guerre hors de la seigneurie. Cette taxe, ou « aides », prélevée par le roi, nécessite des percepteurs comme celui-ci pour contrôler les sommes versées.

◀ Les paysans
En bas de l'échelle sociale, les paysans (p. 10) nourrissent l'ensemble de la société. Installés sur des tenures, ils sont en quelque sorte les locataires du seigneur et soumis à son autorité. Ils paient donc des redevances en argent ou en nature, mais disposent parfois de lopins qui leur appartiennent.

▲ Les seigneurs
À la tête d'un domaine plus ou moins vaste, le seigneur tire ses revenus du travail paysan. Il est aussi le combattant de la société médiévale, entretient à ses frais un cheval, une armure et des guerriers. Lié à son suzerain par le serment de fidélité et le baiser de paix, il lui doit le service militaire à tout moment (p. 14).

▲ Les barons
À l'origine, baron veut dire « serviteur fidèle ». Les barons (p. 24) sont les vassaux directs du roi, le plus souvent grands princes territoriaux. Lorsque Guillaume le Conquérant envahit l'Angleterre, en 1066, il avait avec lui 120 barons capables de fournir chacun 5 000 hommes.

*L'évêque porte une mitre,
symbole de sa dignité.*

*Imitation burlesque
de couronne royale,
surmontée d'un chat*

▲ Les évêques

Au deuxième rang de la hiérarchie religieuse après le pape,
les évêques contrôlent un vaste territoire appelé diocèse (p. 31).
Ils ont autorité sur les paroisses, les prêtres et un grand nombre
d'abbayes. Le titre d'évêque donne droit à de nombreux bénéfices,
dont la dîme (p. 13), et à d'immenses richesses.

▲ Le roi

Peu de rois étaient assez puissants pour entretenir leur
propre armée. En cas de guerre, ils faisaient appel à
leurs barons. Mais garder la mainmise sur ces puissants
seigneurs, volontiers rebelles, n'était pas une mince
affaire. En France comme en Allemagne bien des barons
gouvernaient leurs fiefs comme des États indépendants et
bien des seigneurs narguaient le roi du haut de leur donjon.

▶ Justice !

En principe tous les hommes libres du royaume
dépendent de la justice du roi. Mais celui-ci délègue
ses pouvoirs aux comtes et aux seigneurs qui exercent
le droit de haute et basse justice sur les habitants
de la châtellenie. À côté des amendes pour les petits délits, les châtiments corporels sont proportionnels
à la faute : exposition au pilori, fouet, amputation
de l'oreille ou de la main, pendaison... La justice
de l'évêque traite les cas de sorcellerie et d'hérésie.
À partir du milieu du XIIᵉ siècle, la justice du roi
reprend de l'importance et se spécialise. Des juristes
professionnels traitent la plupart des affaires
et le roi, tel Saint Louis, intervient pour régler
les cas importants ou les injustices seigneuriales.

Une dure vie de labeur

Qu'il soit serf ou homme libre, les conditions de vie du paysan médiéval sont très dures. Les serfs peuvent avoir une famille et jouir de quelques biens mais ils sont soumis à des impôts particuliers comme le chevage, le formariage pour se marier hors de la seigneurie ou la mainmorte pour toucher un héritage. Bien souvent, ils ne sont pas plus pauvres que les paysans libres, liés à leurs tenures par un bail et travaillant la terre avec autant de peine. En France, à partir du XIᵉ siècle, le servage disparaît peu à peu et, à la fin du Moyen Âge, la différence se creuse entre deux classes paysannes : les riches laboureurs qui possèdent un attelage et une terre, et les manouvriers n'ayant que leurs bras.

Statue d'un paysan français vers 1500

▼ Quel pain quotidien ?

Mal outillés, mal vêtus, mal nourris, les paysans travaillent dehors par tous les temps avec d'énormes efforts physiques. Dans ces conditions, rien d'étonnant que l'espérance de vie ne dépasse pas 25 ans vers 1300 et à peine 40, deux siècles plus tard !

Cuillères découpées dans la corne

Cor de berger en corne

▲ Fait main

L'essentiel de l'outillage était réalisé sur place, avec des matériaux locaux, par les villageois eux-mêmes. Après le cuir et le bois, la corne de vache ou de mouton était très largement utilisée ; facile à travailler (p.16), elle ne gardait pas les odeurs comme le bois. Les cuillères de corne ne nécessitaient pas grand nettoyage : il suffisait de les lécher pour qu'elles soient aussi propres qu'un sou neuf !

Épuisé, ce paysan essuie la sueur sur son front.

Wat Tyler est tué d'un coup d'épée.

▲ Révoltes paysannes

Au milieu du XIVᵉ siècle, la situation économique est catastrophique dans la plupart des pays européens. Affaiblis par la peste noire et la famine, les paysans sont soumis à des redevances de plus en plus lourdes de la part des seigneurs. Une révolte violente, la Jacquerie, éclate en Île-de-France en 1358 et s'étend aux régions alentour. Mais elle est vite réprimée par les armées de chevaliers qui massacrent les rebelles. En Angleterre, des paysans révoltés marchent sur Londres en 1381 où ils tuent l'archevêque avant de se disperser. Avec leur chef, Wat Tyler, ils rencontrent le roi Richard II (1367-1450), mais Wat Tyler est tué dans une rixe peu après.

Un chapeau de paille,
utile pour les beaux jours

Broche
porte-
bonheur

Chapeau de feutre
orné d'une plume
et d'une fleur de lys

Tunique de laine doublée
de coutil

Doublet de laine bleue
fermée par des lacets

Chemise de lin

Braies de lin fin,
ou cainsil

Outre de cuir pour
emporter à boire
dans les champs

Les chausses
se nouent sous
la tunique par
des jarretières.

Ces paysans au travail
ont roulé leurs chausses.

Les chausses
peuvent être
roulées pour
faciliter l'effort.

Brodequins de cuir

▲ Chaumière

Les habitations paysannes devaient ressembler à cette
chaumière du XIIIe siècle reconstituée. Les murs étaient
montés en pierres sèches sans mortier, ou en torchis,
une matière très isolante composée d'argile et de paille
que l'on pressait sur un lattis de bois. À l'intérieur :
un sol de terre battue, peu ou pas de fenêtres. La maison
n'avait pas plus de deux pièces et le mobilier était
pauvre : une table à tréteaux, des bancs, un coffre
pour les vêtements et des paillasses pour dormir.
Le foyer se trouvait au milieu de la pièce, la fumée
s'échappant tant bien que mal par une ouverture
pratiquée dans le toit.

▲ Tenue de campagne

Sans doute les paysans des climats
tempérés vers 1450 s'habillaient-ils
de cette façon. Tout comme les ustensiles
et les outils, les habits étaient faits
à la maison. Les femmes passaient
une bonne partie de leur temps à filer
la laine qu'elles tissaient ensuite. L'hiver,
on portait des manteaux de cuir non
tanné ou de peau de mouton pour
se protéger de la pluie et du froid
et l'on enfilait des sabots de bois
sur les bottes de cuir afin d'éviter
la boue. Les vêtements étaient portés
et reprisés jusqu'à complète usure ;
le linge de corps, quand il y en avait, était
régulièrement blanchi. Néanmoins les
habits devaient sentir la fumée de bois !

La vie au village

La population européenne au Moyen Âge compte plus de quatre-vingts pour cent de paysans, qui travaillent la terre avec un outillage rudimentaire et n'obtiennent que de faibles rendements. Si la récolte est insuffisante, la famine s'installe. Autour des villages, la terre est répartie équitablement de sorte que chaque famille dispose de parcelles plus ou moins fertiles, en plus du potager. Peu de place est réservée à l'élevage mais on cultive un peu de fourrage. Pour les défrichements, les moissons et les labours, le village entier travaille en solidarité.

Fourche en bois pour le foin ou les gerbes de blé

▲ La moisson

La moisson requiert tous les villageois, femmes et enfants y compris. Le blé est coupé à la faucille, assez haut pour que le chaume puisse servir de pâture au bétail. Les gerbes une fois liées sont chargées sur des charrettes. Puis, sur l'aire du village, on bat le blé au fléau pour faire tomber les grains des épis. À la fin de la moisson, une grande fête réunit tous les villageois. C'est l'un des grands moments de la vie paysanne.

Paysan secouant un chêne afin de faire tomber les glands pour ses cochons

Les semences tombaient dans les sillons, mais gare aux oiseaux affamés !

D'un geste rapide et régulier, le semeur jette le grain en arc de cercle.

▼ Culture en trois temps

Les paysans du Moyen Âge pratiquent l'assolement triennal : deux champs sur trois sont cultivés pendant que le troisième est laissé en friche, ou jachère, pour que la terre se repose. Sur les deux autres, on sème les blés d'hiver et des céréales de printemps (orge, avoine). Les semailles se font à la main, à la volée.

Panier de semences

Brancard tiré par un homme ou un bœuf

◄ Fruits d'automne

Chaque automne, selon le droit de vaine pâture, les paysans menaient leurs porcs dans les forêts du seigneur afin de les engraisser avec les glands. Le bétail à cornes, quant à lui, paissait sur les talus et les friches. Moins bien nourris, tous ces animaux n'étaient pas aussi gras que ceux d'aujourd'hui.

Porc affamé

Paysans travaillant ensemble à la moisson

▲ Un bon coup de ciseaux
La tonte des moutons était le moment fort du printemps dans les régions d'élevage comme l'Espagne et l'Angleterre. La laine se vendait cher et faisait l'objet d'un commerce international florissant.

▲ Grange dîmière
Cette énorme grange du XIIIe siècle contenait le produit de la dîme. Officiellement, chacun devait un dixième de sa production (grain, bois, viande, etc.) au clergé de la paroisse. Le taux était parfois inférieur à 10 %, mais cette redevance, qui enrichissait l'Église au détriment des paysans, était impopulaire.

◄ Rude labeur ►
La mécanisation étant inexistante, le travail agricole se faisait à la main avec des outils rudimentaires comme ceux-ci. Labourer, battre le blé, sarcler les mauvaises herbes, toutes ces activités nécessitaient d'énormes efforts physiques.

Serpe pour tailler la vigne

Faucille pour couper le blé

Gerbes de blé battu, ou paille

À l'arrière, des traverses de bois retiennent la charge.

Roue en bois cerclée de fer

◄ La hantise de l'hiver
Bien utiles pour transporter le grain, les gerbes ou le foin, les charrettes médiévales devaient ressembler à celle-ci. Les paysans les plus pauvres portaient leurs charges à dos d'âne ou à dos d'homme. La paille servait de chaume pour les toits et de garniture pour les paillasses. Le foin nourrissait les animaux pendant l'hiver, les chevaux du seigneur surtout. L'essentiel du bétail était abattu à l'automne faute de nourriture pour l'entretenir jusqu'au printemps. Comme la moisson, la fenaison était partagée par tous les villageois.

La hauteur des roues permet de franchir les bosses et les ornières.

Le maître du domaine

Une châtellenie, un territoire soumis à un châtelain, comprend le château lui-même ainsi que le village qui l'entoure, avec son église et les terres environnantes. Selon le droit féodal, le maître des lieux a droit de basse ou haute justice sur les habitants et impose des amendes qui enrichissent ses finances. S'il possède plusieurs châteaux et de vastes domaines, il a sous ses ordres des officiers chargés de faire respecter son autorité et d'exiger des paysans les taxes ou les corvées qui lui sont dues. Celles-ci ont été définies par la coutume locale. Jusqu'au XIIIe siècle, la plupart des villages vivent en autarcie, produisant l'essentiel des éléments nécessaires à leur subsistance. Seuls le sel qui conserve la viande et le fer pour les outils viennent de l'extérieur. Mais les nouvelles circulent, véhiculées par les pèlerins, les marchands ou les ménestrels.

▲ Service militaire
Le seigneur est avant tout un guerrier qui met ses armes et ses hommes au service du roi ou de son suzerain. Il lui doit par exemple quarante jours de chevauchée hors de la seigneurie.

L'intendant rend des comptes au seigneur.

▲ Intendant
Le seigneur s'entoure d'officiers qui l'aident à administrer le domaine. L'intendant, ou régisseur, a la lourde charge d'organiser le travail agricole et de prélever les redevances. Bien payé, pas toujours honnête, c'est un homme puissant que redoutent les paysans.

Arrosoir

▲ Vie de château
Le châtelain et son épouse ont tous deux des rôles d'organisation et de surveillance sur le domaine ou la maisonnée. Mais ces activités leur laissent des loisirs. Sur cette tapisserie française, deux anges élèvent un dais au-dessus d'un couple richement paré. Est-ce pour mettre en évidence les agréments de la condition noble ?

◀ Maison forte
Le seigneur abrite sa famille dans une maison de pierre entourée d'une solide enceinte et d'un fossé. À l'intérieur, il y a place pour les écuries, le jardin, les celliers et réserves sans oublier la chapelle. Au centre de la maison, une grande salle accueille les assemblées et sert à toutes les grandes occasions de l'année : cours de justice, fêtes pleinières de Pâques et de Noël, banquets...

Les faucons dressés étaient emmenés partout, y compris à l'église.

▲ Bonne chasse

Les seigneurs passent le plus clair de leur temps à la chasse et entretiennent des meutes de chiens courants pour le cerf ou le sanglier. Les dames préfèrent la chasse au vol, avec des faucons bien dressés qui capturent lapins et pigeons.

▲ Au four et au moulin

Pour moudre leur blé, les villageois disposent de moulins à eau appartenant au seigneur. Ils sont tenus d'y porter leur grain, moyennant une redevance en nature, ou « banalité » (du droit seigneurial appelé « droit de ban »). De la même façon, le seigneur s'enrichit en installant dans les villages un pressoir ou un four « banal » avec obligation pour les habitants d'utiliser uniquement ces équipements seigneuriaux.

▼ Agent seigneurial

Cet officier de seconde main est le bras droit du régisseur dans les grands domaines. Il connaît bien le monde paysan dont il est issu et dirige par exemple les équipes de moissonneurs, veillant à ce que chacun commence à l'heure et ne dérobe aucun outil.

▶ Baillis et prévôts

Selon l'importance de leurs terres, les barons font appel au service d'agents spécialisés. Dans le nord de la France, les grands domaines étaient souvent gérés par des prévôts. Ces agents de l'administration seigneuriale connaissaient bien la juridiction féodale concernant les terres et les forêts. Les baillis, de leur côté, s'occupaient davantage de la police et de la justice sur les terres du seigneur. À la fin du Moyen Age, baillis et prévôts deviennent des agents de l'administration royale dans toutes les régions.

La visière protège les yeux du soleil et retient l'eau de pluie.

Chapeau de feutre

Doublet brun

Tunique de laine doublée de lin avec boutons d'étain

La tunique est plus longue que celle d'un simple tenancier.

Les culottes étroites étaient tendues en bas par une attache passant sous le pied.

Brodequins de cuir

Maisons médiévales

Rien de très confortable dans les maisons médiévales, excepté dans les riches demeures ! L'air y est enfumé par la cheminée de la cuisine et les chandelles de suif très malodorantes. Les fenêtres sans vitres laissent pénétrer plus d'air froid que de lumière. Le mobilier y est rare : peu de sièges, des bancs, quelques coffres. Les lits en revanche sont protégés des courants d'air par des rideaux ; on y empile plusieurs matelas. Les pauvres, quant à eux, dorment sur des paillasses à même le sol pavé de céramique ou de bois. À défaut de tapis, les planchers sont jonchés de paille, changée plusieurs fois par an. L'été, on lui préfère des jonchées d'herbe fraîche. Il n'est pas rare de voir toute la maisonnée travailler, vivre et manger dans une seule pièce.

À partir du XIIIᵉ siècle, apparaissent des éléments de confort, et les plus riches cherchent à préserver leur intimité en multipliant les pièces.

▲ Au chaud
Dans les maisons de bois, on limite les incendies en installant les foyers au centre des pièces. Les conduits de cheminée pris dans l'épaisseur des murs se vulgarisent au XVᵉ siècle avec l'essor de la construction en pierre.

▲ Fenestrage
Le niveau de vie des habitants était reconnaissable à leurs fenêtres : les pauvres se contentaient de volets de bois que l'on fermait la nuit et par temps froid ; les plus aisés disposaient de fenêtres garnies de toiles de lin trempées dans la résine pour les imperméabiliser, qui limitaient les courants d'air mais ne protégeaient guère du froid.

Les volets sont fermés la nuit.

Corne déroulée

La partie centrale est émincée et polie.

Corne de mouton recourbée

◀▲ Tout en corne
Comme le cuir, la corne avait de multiples usages ; on en faisait par exemple des panneaux pour les fenêtres. Il fallait la laisser trois mois dans l'eau pour la ramollir puis on l'étirait, on la fendait en couches minces et on la polissait pour la rendre translucide.

L'urine, conservée dans un urinal, servait ensuite à divers procédés de teinture.

Mur de torchis

Parfois, les latrines des châteaux donnaient directement dans le fossé.

▲ Privé
À la fin du XVᵉ siècle, certaines maisons disposent de toilettes ou privés : une pièce minuscule en surplomb avec un conduit d'évacuation menant à une fosse. Les latrines dans la cour existaient également.

Les lamelles de corne sont encastrées dans un châssis de bois.

▲ Chambre avec vue ?
Au Moyen Âge, le verre est rare et cher, réservé aux vitraux des églises et des palais. La plupart des maisons bourgeoises se contentaient de panneaux de corne ou de parchemin, beaucoup moins chers et moins fragiles. Sans avoir la transparence du verre, ces matériaux diffusaient une lumière douce et procuraient une certaine intimité, si rare au Moyen Âge.

▲ Avec une berceuse

Ce berceau était sans doute l'un des meubles les plus confortables de la maison, mais il ne limitait guère les risques liés à la petite enfance. Plus d'un enfant sur trois mourait de maladie avant l'âge de 2 ans.

La mère pouvait bercer du pied tout en cousant ou en filant.

▲ Bien assis

Le commun des mortels ne connaissait pas d'autre siège que le banc. Seul, le seigneur, ou l'évêque, était en mesure de posséder un fauteuil, ou chaire, avec dossier et accoudoirs.

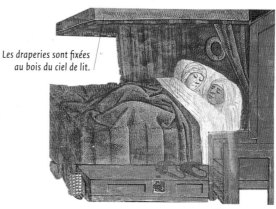

Les draperies sont fixées au bois du ciel de lit.

▲ Bonne nuit

Un manuel de ménage du XVe siècle donne des instructions très précises pour le coucher du maître. Après l'avoir dévêtu, peigné et coiffé de son bonnet de nuit, le serviteur devait tirer les rideaux autour du lit, allumer la veilleuse, chasser chiens et chats à coups de pied si nécessaire, ne pas souhaiter le bonsoir mais s'incliner et se retirer. Tout un programme !

Qu'on est bien chez soi ! ▶

Des rideaux de toile ou des tapisseries de laine étaient accrochées sur les murs et dans les passages, y compris sur les portes. Leur fonction était d'arrêter les courants d'air, de créer une forme d'intimité et d'être agréable à l'œil par leurs couleurs chatoyantes. Cette tapisserie rayée et le rideau qui l'accompagne proviennent de la demeure d'un riche marchand.

Les motifs étaient souvent religieux : ici la rose blanche de la Vierge Marie.

Ciel de lit

D'épais rideaux de laine protègent de l'air froid.

Oreiller de lin, garni de paille hachée

Draps de lin

Ce lit sur roulettes pouvait être tiré pour recevoir des dormeurs supplémentaires.

Paillasse en paille tressée

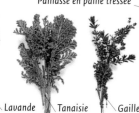

Lavande   Tanaisie   Gaillet

▲ Ça fleure bon

Les plantes aromatiques telles que la lavande ou la tanaisie se glissaient dans les paillasses. Outre leur parfum, elles avaient pour effet de chasser les puces et autres parasites.

Couverture de laine

▲ À tiroir

Les bourgeois du Moyen Age s'enferment la nuit dans un lit clos avec courtines et ciel de lit, mollement installés sur plusieurs matelas de plume. La paille est réservée aux moins riches. Jusqu'à une époque avancée, le lit n'est pas personnel ; on le partage volontiers entre enfants et même entre adultes. Celui-ci appartenait à un bailli au tournant du XVe et du XVIe siècle. Pas de sommier : le lit est un simple cadre de bois garni de planches.

Potence pour accrocher les ustensiles

La crémaillère permet de remonter le pot-au-feu ou de le rapprocher des braises, selon le besoin.

Le crochet suffit pour accrocher les pots légers.

Le croc en ciseau est nécessaire pour suspendre les gros chaudrons.

La cuisine et la table

L'alimentation au Moyen Âge varie beaucoup selon le niveau de vie. Si les nobles et les riches bourgeois peuvent s'offrir des plats variés, parfumés aux épices venues d'Orient ou agrémentés de fruits secs, d'amandes et d'huile d'olive, les pauvres, eux, vivent chichement de soupes, de pois et de bouillies. Le pain blanc, de froment pur, est réservé aux gens des villes; à la campagne, on consomme un pain noir ou bis composé de farine d'avoine et de seigle. Quelques légumes, des laitages, un peu de viande de porc complètent ce menu. Pendant l'hiver, les repas sont encore moins variés : l'éternel lard salé parfume le bouillon que l'on épaissit avec du pain, des pois, des haricots secs. Quant aux harengs en saumure, ils nourrissent le petit peuple des villes, les soldats et les marins.

Croc en ciseau

Crochet

Le croc à viande, sert à tirer les morceaux du pot

◄▲ Les bons crocs

Au Moyen Age, la cuisine se fait dans la cheminée ; elle nécessite de nombreux crochets pour suspendre les pots et les chaudrons au-dessus des braises. Une fois bouillis, les morceaux sont tirés du pot à l'aide d'un croc à viande. Puis on ajoute des céréales ou des légumes afin d'obtenir un plat nourrissant qui constitue la base des calories journalières. Avec le bouillon mélangé à des jaunes d'œufs et des amandes on obtient une gelée appelée blanc-manger.

Crémaillère

Croc à viande

Truites de rivière

◄ À la diète

L'Église préconise de nombreux jours de jeûne pendant l'année : le carême, les vendredis et veilles de fête. La viande est alors interdite.

Les harengs saurs ou fumés, les crustacés récoltés sur les plages et les anguilles sont la nourriture du pauvre ; pour les plus aisés le marché fournit des poissons de mer tandis que les viviers d'eau douce procurent carpes et brochets.

Trépied, ou chevrette

Sole de foyer en pierre

Bûches

Ce pot tripode se posait directement sur le feu ; il pouvait aussi s'accrocher.

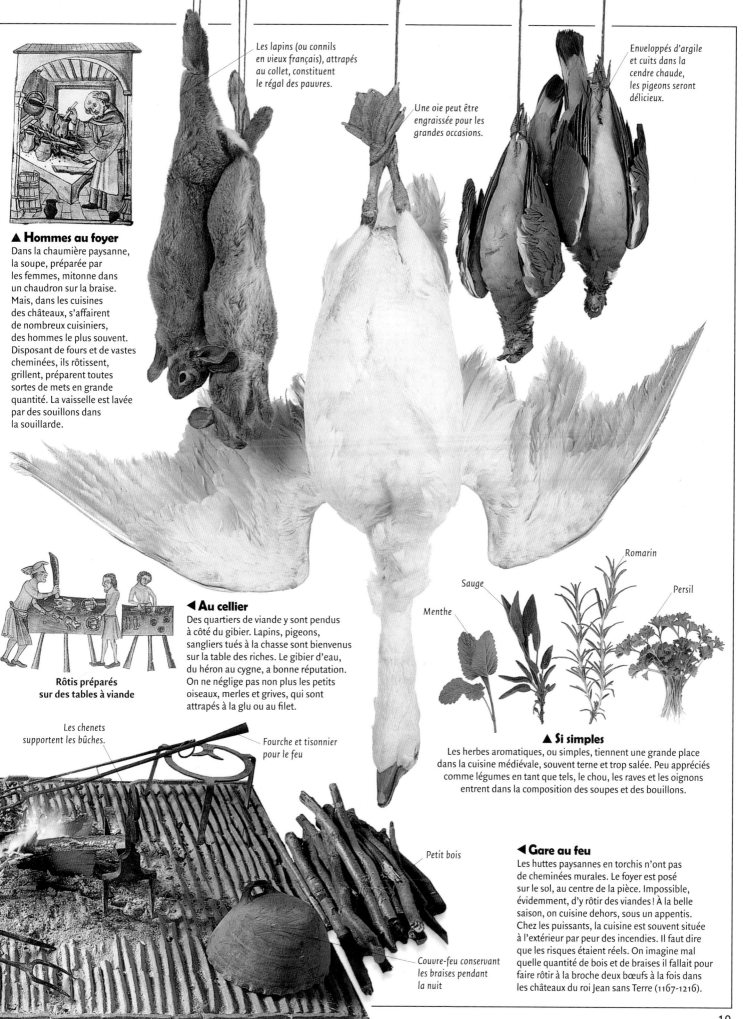

Les lapins (ou connils en vieux français), attrapés au collet, constituent le régal des pauvres.

Une oie peut être engraissée pour les grandes occasions.

Enveloppés d'argile et cuits dans la cendre chaude, les pigeons seront délicieux.

▲ Hommes au foyer

Dans la chaumière paysanne, la soupe, préparée par les femmes, mitonne dans un chaudron sur la braise. Mais, dans les cuisines des châteaux, s'affairent de nombreux cuisiniers, des hommes le plus souvent. Disposant de fours et de vastes cheminées, ils rôtissent, grillent, préparent toutes sortes de mets en grande quantité. La vaisselle est lavée par des souillons dans la souillarde.

Rôtis préparés sur des tables à viande

Les chenets supportent les bûches.

Fourche et tisonnier pour le feu

◀ Au cellier

Des quartiers de viande y sont pendus à côté du gibier. Lapins, pigeons, sangliers tués à la chasse sont bienvenus sur la table des riches. Le gibier d'eau, du héron au cygne, a bonne réputation. On ne néglige pas non plus les petits oiseaux, merles et grives, qui sont attrapés à la glu ou au filet.

Romarin

Sauge

Menthe

Persil

▲ Si simples

Les herbes aromatiques, ou simples, tiennent une grande place dans la cuisine médiévale, souvent terne et trop salée. Peu appréciés comme légumes en tant que tels, le chou, les raves et les oignons entrent dans la composition des soupes et des bouillons.

Petit bois

Couvre-feu conservant les braises pendant la nuit

◀ Gare au feu

Les huttes paysannes en torchis n'ont pas de cheminées murales. Le foyer est posé sur le sol, au centre de la pièce. Impossible, évidemment, d'y rôtir des viandes ! À la belle saison, on cuisine dehors, sous un appentis. Chez les puissants, la cuisine est souvent située à l'extérieur par peur des incendies. Il faut dire que les risques étaient réels. On imagine mal quelle quantité de bois et de braises il fallait pour faire rôtir à la broche deux bœufs à la fois dans les châteaux du roi Jean sans Terre (1167-1216).

À la table des maîtres

Après le déjeuner du matin qui met fin au jeûne, le dîner est le repas principal de la journée ; il a lieu vers midi. Pour les grandes occasions, le maître s'assoit avec ses invités de marque à la table haute dressée sur une estrade au centre de la salle tandis que les autres convives (personnes de moindre importance et membres de la maisonnée) prennent place autour des autres tables. Les repas de fête comportaient trois services composés chacun de plusieurs plats de viande, de poisson et de desserts épicés. Un seul service dans un livre de cuisine de 1393 indiquait du bœuf, de la lamproie, deux ragoûts de mouton, un poisson en sauce et un blanc-manger (sorte de flan), le tout accompagné de petits pains blancs.

Gobelet

Couteau personnel gravé aux initiales de son propriétaire

Les cuillères étaient offertes par la maison.

Bol en bois pour la soupe

Ce plateau d'étain sert à poser le tranchoir, tranche de pain sur laquelle on découpe sa viande.

◄ Les couverts

Les fourchettes ne font leur apparition à table qu'au XVIᵉ siècle. Chacun a son propre couteau dont il use pour piquer les morceaux de son choix dans le plat. Il les pose ensuite devant lui sur un tranchoir, large tranche de pain faisant office d'assiette.

▲ Tout est en ordre

Au centre de la grande table, le maître de céans est adossé au mur. Ses invités l'encadrent selon une hiérarchie bien établie : d'abord les hommes d'Église puis les nobles et enfin sa propre famille. Les serviteurs vont et viennent, apportant divers plats de la cuisine ou des garde-manger ainsi que des cruches de vin venues tout droit de la cave. Pendant les entremets, jongleurs et musiciens divertissent l'assistance.

Siège du maître au centre de la table

Sol richement pavé de carreaux vernissés

L'estrade portant la table se nomme « haut dais ».

▲ Autres temps, autres mœurs

Les jours de banquet, la salle est enfumée et bruyante. Si certains hôtes de marque ont leur vaisselle, cela ne choque personne de partager son gobelet avec son voisin. On mange avec ses doigts qu'il faut donc avoir propres. C'est pourquoi un serviteur propose à tout moment une aiguière et un bassin pour se laver les mains. Il est également recommandé d'utiliser un coin de la nappe plutôt que ses doigts pour se gratter et de ne pas cracher sur son voisin ! Malgré ces sages conseils, la tenue des convives laissait souvent à désirer.

Pot à bière ou à vin

Plateau pour la viande ou le pain

Gobelet de corne

Chope en cuir bouilli

Table à tréteaux

Le dos de la cuillère est tourné vers le haut afin d'« éloigner le diable ».

Banc de bois

▲ Au quotidien

Si les grandes familles nobles de la fin du Moyen Âge usent d'un cérémonial de la table, bien des gens partagent simplement leur repas avec leur maisonnée, serviteurs y compris. Ceux-ci sont certainement mieux nourris que bien des paysans. Les repas se prennent dans la salle, généralement située au premier étage de la maison, la cuisine étant réservée à la préparation des repas.

Luxueux verre à vin

Coupe en bois

Poterie vernissée

Cruche en terre cuite, pour le vin ou la bière

Salière double

Tapisserie murale bicolore

La nappe en lin était repassée humide.

▲ À table !

La table a été soigneusement dressée pour le maître avec une nappe propre, des planchettes pour les tranchoirs, des gobelets ou des hanaps et des salières. Si la maison est très riche, peut-être y aura-t-il de la vaisselle d'étain ou d'argent ainsi que des verres... en verre ! À partir du XVe siècle les convives reçoivent sur leurs genoux une large serviette commune.

Les femmes du Moyen Âge

« Il est clair que la femme est moins noble que l'homme et de moins grande vertu », écrivait un prêtre français en 1386. L'Église du Moyen Âge méprise les femmes et s'en méfie. Leur devoir est de rester soumises à leur père puis à leur époux. En réalité, la vie des femmes est assez éloignée de cette image stéréotypée. Hormis les dames de haut lignage, rares sont celles qui restent sagement à la maison ; la plupart d'entre elles travaillent pour vivre. Paysannes, elles peinent dans les champs, filent, tissent et nourrissent leur famille. Citadines, elles sont actives dans les ateliers et les échoppes, font du commerce pour leur propre compte ; certaines sont aubergistes, lavandières, voire médecins. Mais qu'elles soient reines, abbesses ou femmes du peuple, elles ont peu de pouvoir sur la société.

▲ Voilée
Les jeunes filles vont tête nue, cheveux nattés, mais il est plus convenant pour une femme mariée de cacher ses cheveux sous une coiffe ou « guimpe » comme celle-ci.

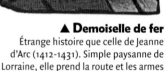

▲ Demoiselle de fer
Étrange histoire que celle de Jeanne d'Arc (1412-1431). Simple paysanne de Lorraine, elle prend la route et les armes après avoir entendu des voix. Accueillie par le roi Charles VII à Chinon, la voici bientôt à la tête d'une armée qui délivre Orléans. Mais la chance tourne vite : abandonnée par tous, prisonnière, elle sera brûlée vive comme sorcière.

▲ Au couvent
Dans la société médiévale, il n'y a pas de place pour le célibat. Les monastères prospèrent et accueillent un grand nombre d'hommes (pp. 36-39) ou de femmes. Les jeunes filles nobles y reçoivent une éducation soignée, vivent une existence sereine à l'abri de la faim, des armes et des convoitises. Devenant abbesses, certaines d'entre elles portent la responsabilité spirituelle et matérielle d'une vaste communauté.

▶ Le sceau du pouvoir
Au Moyen Âge, posséder la terre est la plus grande des richesses. Tout comme un homme, une riche héritière est maîtresse de son bien. Pour l'administrer, elle est amenée à signer des chartes sur lesquelles elle appose son sceau. Celui-ci appartenait au XIIIe siècle à Elisabeth de Sevorc. Quand une fille noble se marie, sa terre est administrée par son mari. S'il meurt avant elle, elle reprend son bien dont hériteront ses enfants ; en tant que veuve, elle touche une part du domaine de son époux, le douaire.

◀ Du cœur à l'ouvrage
Cette femme s'évanouit en apprenant la mort de son époux. Son rôle sera désormais de gérer les affaires du défunt. Elle l'a déjà fait chaque fois qu'il est parti à la guerre, à la croisade (p. 28) ou à la cour. Et il faut à la fois du savoir-faire et de l'autorité pour bien gérer un domaine ! Certaines nobles dames savent aussi manier les armes et défendre leur château en cas de siège avec l'aide de leurs vassaux.

► Coiffe

Dans la plupart des cas, une simple toile de lin blanc suffit, mais les plus riches enveloppent leurs cheveux dans des résilles ou crépines. La coiffe médiévale la plus connue, le hennin, ne fut en vogue qu'à la fin du XVᵉ siècle.

La coiffe de lin cache les cheveux et les protège de la poussière.

Épingles à cheveux décorées

◄ File la laine...

Filer est une activité féminine. Le rouet, d'origine indienne, n'apparaît qu'à partir du XIIIᵉ siècle. Avant cette date, on utilise un fuseau comme celui-ci et une quenouille, d'où l'expression « tomber en quenouille » qui s'emploie pour un héritage tombé entre les mains d'une femme.

La laine se tord en fil à mesure que l'on tourne le fuseau.

Manche de chemise

Chapelet

Manches amovibles pour les dimanches et jours de fête

▲ Les mots pour le dire

Christine de Pisan (1364-1429) est l'une des premières femmes qui ait vécu de sa plume. Dans ses poèmes, elle s'insurge contre la manière dont les femmes sont traitées : glorifiées et méprisées tout à la fois.

► Tenue de ville

Une bourgeoise de classe moyenne au XVᵉ siècle n'aurait pas rougi devant ces vêtements. Les habits quotidiens étaient simples, adaptés aux occupations des femmes qui pouvaient exercer toutes sortes de métiers, y compris tenir la boutique de leur mari. Certaines d'entre elles devaient cumuler deux activités car leur salaire était souvent moins élevé que celui des hommes.

Jupe de laine cousue au corsage ; le tout forme la cotte.

Bourse de cuir servant de poche

Jarretière de cuir tenant les chausses

Chausses de laine

On chausse des patins de bois par mauvais temps.

Chaussures fines, ou solers

Les grands barons

Dans la société féodale, chaque noble guerrier est un vassal qui sert un plus puissant que lui. Mais, à partir du XIᵉ siècle, certains grands seigneurs ont pris tant d'indépendance que le roi parvient difficilement à les contrôler. Ils règnent en maîtres sur leurs domaines qu'ils gouvernent comme des États indépendants et leurs cours sont souvent plus riches et plus raffinées que celle du roi. Ainsi, l'orgueilleux sire de Coucy arborait une garde personnelle de cinquante chevaliers, suivis chacun par dix hommes ! Au XIᵉ siècle, le seigneur de Montlhéry, entouré de vassaux armés jusqu'aux dents, causait des ravages en Île-de-France, rançonnant voyageurs et marchands, et mettant l'autorité royale à rude épreuve.

▲ Échec au roi
Les rois s'appuyaient généralement sur un Conseil de grands barons et d'ecclésiastiques. Mais un baron anglais, Simon de Montfort, duc de Leicester, chercha à limiter le pouvoir arbitraire du roi Henri III (1216-1272). Il eut l'audace de créer en 1264 le premier parlement populaire où les bourgeois siégeaient à côté des nobles et des évêques, mais il fut tué en 1265.

◄ Mauvaise compagnie
Les barons enrôlaient parfois des régiments de mercenaires qui combattaient pour eux. Ces compagnies étaient formées de guerriers de toutes nationalités, soldats revenant des croisades ou chevaliers excommuniés, qui ravageaient le pays.

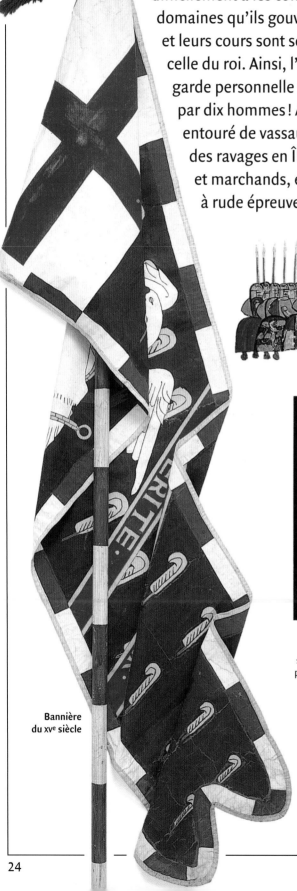

Bannière du XVᵉ siècle

▲ Dracula !
Vlad Tepes, qui régna au XVᵉ siècle sur la Valachie (Roumanie), était réputé pour sa cruauté. Il empalait ses victimes. Il se surnommait Dracula, « le fils du Dragon », car les armoiries de son père présentaient un dragon.

◄ Le droit de ban
Un chevalier banneret est un chevalier assez puissant pour commander une bannière : un groupe d'hommes portant son emblème cousu sur des pièces de toile. Cette toile armoriée prend elle aussi le nom de bannière et devient un point de ralliement dans les batailles.

▲ Les secrets de l'héraldique
Comment reconnaître l'ami ou l'ennemi sous le heaume ? Les emblèmes cousus ou peints sur les cottes d'armes et les boucliers permettaient de savoir à qui l'on avait affaire. L'art des armoiries déborda bientôt le champ de bataille pour gagner les salles des châteaux.

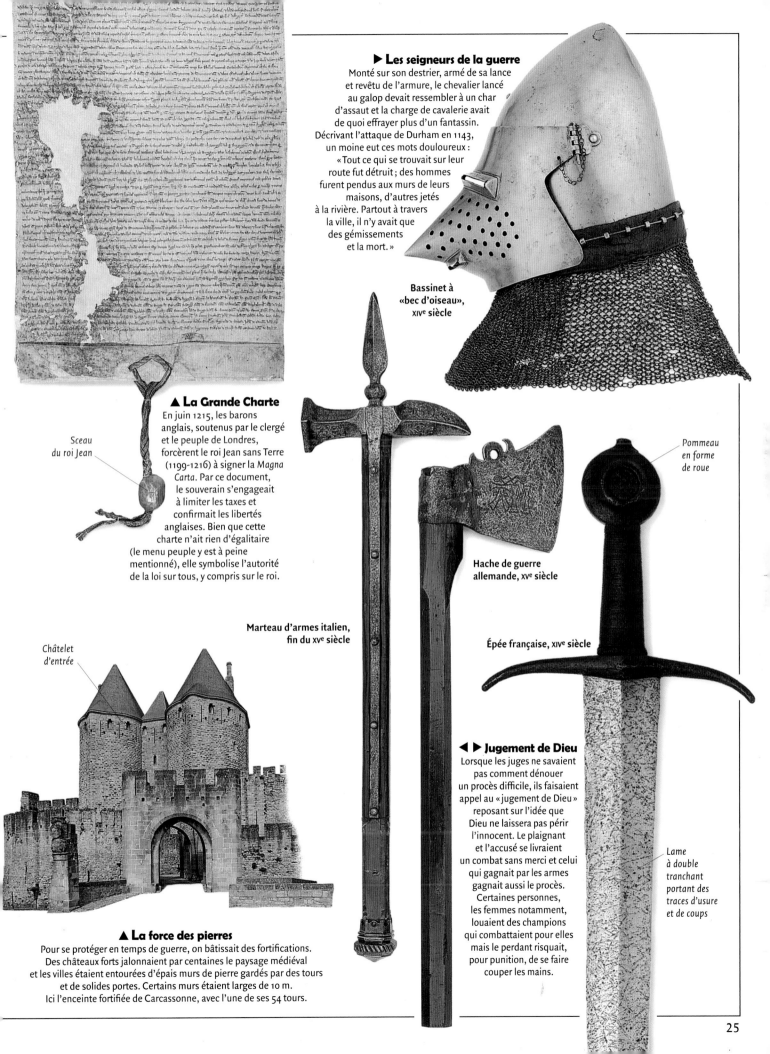

▶ Les seigneurs de la guerre

Monté sur son destrier, armé de sa lance et revêtu de l'armure, le chevalier lancé au galop devait ressembler à un char d'assaut et la charge de cavalerie avait de quoi effrayer plus d'un fantassin. Décrivant l'attaque de Durham en 1143, un moine eut ces mots douloureux : « Tout ce qui se trouvait sur leur route fut détruit ; des hommes furent pendus aux murs de leurs maisons, d'autres jetés à la rivière. Partout à travers la ville, il n'y avait que des gémissements et la mort. »

Bassinet à « bec d'oiseau », XIVᵉ siècle

▲ La Grande Charte

Sceau du roi Jean

En juin 1215, les barons anglais, soutenus par le clergé et le peuple de Londres, forcèrent le roi Jean sans Terre (1199-1216) à signer la *Magna Carta*. Par ce document, le souverain s'engageait à limiter les taxes et confirmait les libertés anglaises. Bien que cette charte n'ait rien d'égalitaire (le menu peuple y est à peine mentionné), elle symbolise l'autorité de la loi sur tous, y compris sur le roi.

Pommeau en forme de roue

Hache de guerre allemande, XVᵉ siècle

Marteau d'armes italien, fin du XVᵉ siècle

Épée française, XIVᵉ siècle

Châtelet d'entrée

◀ ▶ Jugement de Dieu

Lorsque les juges ne savaient pas comment dénouer un procès difficile, ils faisaient appel au « jugement de Dieu » reposant sur l'idée que Dieu ne laissera pas périr l'innocent. Le plaignant et l'accusé se livraient un combat sans merci et celui qui gagnait par les armes gagnait aussi le procès. Certaines personnes, les femmes notamment, louaient des champions qui combattaient pour elles mais le perdant risquait, pour punition, de se faire couper les mains.

Lame à double tranchant portant des traces d'usure et de coups

▲ La force des pierres

Pour se protéger en temps de guerre, on bâtissait des fortifications. Des châteaux forts jalonnaient par centaines le paysage médiéval et les villes étaient entourées d'épais murs de pierre gardés par des tours et de solides portes. Certains murs étaient larges de 10 m. Ici l'enceinte fortifiée de Carcassonne, avec l'une de ses 54 tours.

À la cour du roi

Le roi vit entouré de vassaux, de conseillers et de grands officiers. Bien que résidant dans la capitale, il est souvent sur les routes du royaume à visiter ses châteaux, à organiser des assemblées et à rendre la justice sur ses domaines. À mesure que s'épanouit la monarchie, l'administration royale se spécialise : la Cour des aides et la Chambre des comptes gèrent les finances tandis que le parlement devient la première cour de justice du royaume.

Sans atteindre le luxe des cours de la Renaissance ou de Louis XIV, la Maison du roi ne cesse de s'accroître car son rôle est d'affirmer la puissance royale. Ainsi les châteaux de l'empereur Frédéric II (1194-1250) en Sicile étaient-ils remplis d'animaux exotiques, ornés de jardins somptueux et de parquets dorés.

Pendentif en forme de cœur, décoré de larmes

▶ Abus de pouvoir

Dans la société médiévale où tout est religieux, le roi reçoit son pouvoir de Dieu. Il a donc pleine autorité sur ses sujets sans prétendre à la monarchie absolue, mise en place au XVIIe siècle. On voit ainsi le roi d'Angleterre Richard II (1367-1400) passer des heures sur son trône à regarder sa cour s'agenouiller devant lui. Cette arrogance fit mauvais effet : il fut détrôné en 1399 ! En effet, la cour médiévale n'a rien à voir avec l'assemblée de courtisans soumis instituée plus tard par Louis XIV.

La lance de joute atteint 4 m de longueur.

▲ Divertissements

Chaque cour, seigneuriale ou royale, recevait des jongleurs, des acrobates et des ménestrels qui chantaient en s'accompagnant du luth et de la harpe. Les chansons d'amour faisaient vibrer l'assistance. Les plus anciennes furent écrites par les troubadours, de langue d'oc, qui habitaient le sud de la France au XIIe siècle.

▲ La politique de la lance

Se révolter contre le roi est perçu comme un défi à Dieu mais les grands barons sont sans cesse à l'affût d'une défaillance royale pour prendre plus de pouvoir. Les rois multiplient les alliances de toutes sortes (hommages, mariages) avec les grandes familles du royaume afin de s'attacher les barons rebelles. Les fêtes à la cour, avec chasses et tournois, ont souvent le même but : pendant qu'ils s'essaient à la lance, les seigneurs ne complotent pas ! De même, les liens affectifs et familiaux jouent un rôle important dans la politique royale.

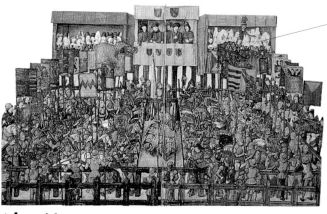

Les dames assistent
au tournoi depuis
la tribune.

▲ Jouer à la guerre

Les tournois font partie des manifestations organisées par le roi
pour rassembler la noblesse autour de lui. Ces joutes ont
aussi pour objet de sélectionner les meilleurs chevaliers
et de les entraîner au maniement des armes.
Dès le XIᵉ siècle, toute la chevalerie occidentale
se passionne pour ce sport très dangereux.
L'on a vu jusqu'à 60 chevaliers trouver la mort
en un même tournoi.

Jeton de jeu pour
le trictrac

◀ ▲ Loisirs

À côté des activités de plein air,
les nobles de la cour consacrent
beaucoup de temps aux jeux
de société tels que les dés,
les échecs et le trictrac.
Les jeux de cartes font leur
apparition au XIIIᵉ siècle.

Les boucliers
et les casques étaient
gagnés par le vainqueur
du tournoi.

▲ Affaires sérieuses

Le roi exprime ses volontés par écrit
au moyen d'édits, de chartes ou d'actes.
Son secrétariat, ou chancellerie, joue
un rôle essentiel dans les affaires
du royaume et garde précieusement
le sceau royal ainsi que les archives.
C'est Philippe Auguste (1165-1223)
qui décida d'installer les archives royales
au Louvre ; jusqu'alors elles suivaient
le roi dans ses déplacements
et risquaient d'être perdues.

Le sceau royal
« officialise » le document.

▶ Cours d'amour

Organisées dans l'entourage des princes
et des rois, les cours d'amour sont
des débats poétiques consacrés
aux dames. Ils se présentent
sous forme de jeux et de tribunaux
pendant lesquels les accusés,
qui auraient manqué de respect
aux dames, déclament de longs
poèmes courtois pour leur défense.
C'est Christine de Pisan,
prenant la défense des femmes,
qui est à l'origine d'un tel jeu.

**Bouclier flamand
du XVᵉ siècle**

Des chevaliers de Dieu aux soldats du roi

L'Europe ne connaît que rarement la paix au Moyen Âge. Pourtant, pendant près de trois siècles, les croisades entraînent loin de l'Europe des armées de chevaliers turbulents. Plus tard, de 1337 à 1453, la France et l'Angleterre s'épuisent à mener la guerre de Cent Ans, pendant laquelle les techniques militaires ont beaucoup évolué. La chevalerie, qui régnait jusqu'alors sur les champs de bataille, se voit peu à peu supplantée par le canon et par des armées de métier, composées de soldats disciplinés qui combattent pour le roi. En même temps apparaissent des mercenaires qui se louent au plus offrant. Mais, en dehors de ces grands épisodes, la guerre médiévale fut surtout une longue suite de querelles entre seigneurs, de sièges et de chevauchées de courte durée car tout vassal devait à son suzerain un service militaire n'excédant pas quarante jours.

▲ Croisades
En 1095 le pape Urbain II appela les chevaliers chrétiens à délivrer le tombeau du Christ à Jérusalem, tombé aux mains des Turcs musulmans. Une première armée de la Croix (ou croisade) reconquit Jérusalem en 1099, mais les Turcs reprirent bientôt leur avancée. Sept autres croisades suivirent de 1147 à 1270, sans succès. Cette peinture du XVe siècle montre l'arrivée des croisés à Damiette (Égypte).

Cette pique, montée sur une longue hampe, était utilisée par les fantassins pour arrêter les chevaux.

Cette protection empêche les coups d'épée de taillader le bras.

Tir à l'arc ▲
Les corps d'archers jouèrent un grand rôle dans le déclin de la chevalerie au XVe siècle. Un tir de flèches bien ajusté pouvait décimer les cavaliers et surtout leurs montures ; privés de chevaux, les guerriers en armure étaient des proies faciles pour les piétons (soldats de pied).

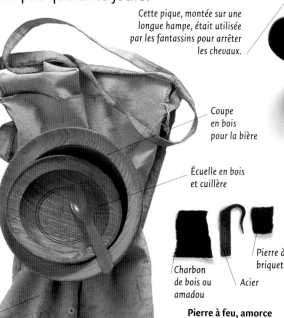

Coupe en bois pour la bière

Écuelle en bois et cuillère

Charbon de bois ou amadou

Acier

Pierre à briquet

Pierre à feu, amorce et acier pour allumer les feux de camp

Sac de toile

◄ ▲ ► Un estomac dans des talons blessés
Un fantassin vit et combat sur ses pieds. Il marche au moins 10 km par jour, souvent beaucoup plus, et son bol de soupe n'est guère rempli, car l'armée se nourrit sur le pays qu'elle traverse. La famine était telle lors de la première croisade que les soldats chrétiens parlèrent de manger leurs ennemis morts : « Salés et bien cuits, ils seront bons à manger », disaient-ils !

Brodequins de cuir, usés au bout de 3 mois

À l'intérieur : une moufle de cuir

Gantelet protégeant la main et le poignet

La visière limite la vue ; on ne l'abaisse que dans les combats violents.

Couvre-nuque

Casque léger, ou « salade »

Dague de guerre

Couteau de table

▲ Rançon

La capture d'un ennemi de haut rang était une source de profit car la famille du prisonnier payait une rançon contre sa liberté. Celle de Richard Cœur de Lion, séquestré par l'empereur Henri VI, s'éleva à 150 000 marcs, une somme colossale que payèrent en 1194 ses vassaux et ses sujets.

▲ La bourse et la vie

Partout où il allait, le fantassin portait son bagage, qui devait se réduire au strict minimum. Accrochée à sa ceinture, cette bourse de cuir contenait de l'argent, quelques dés, de quoi allumer un feu et peut-être une pièce de tissu en cas de blessure.

Le gantelet limite la torsion du poignet.

▼ Corps à corps

Avec une dague dans la main droite et un bouclier dans la gauche, un fantassin pouvait être redoutable. Cette rondache (ou bouclier de poing) ne servait pas seulement à protéger des coups, elle pouvait aussi blesser l'adversaire au visage grâce aux bandes de fer dont elle était pourvue. À la fin du Moyen Age, la plupart des fantassins étaient armés de piques et de hallebardes montées sur de longues hampes qui causaient de terribles blessures.

Brigantine de toile matelassée

Petit bouclier de poing ou rondache

Fine ceinture de cuir

◄◄ Antichoc ?

Cet équipement militaire a pu appartenir à un fantassin du XVe siècle. Une partie lui a été fournie et sans doute a-t-il volé le reste lors d'un pillage ! Trop pauvres pour posséder une armure de fer, les gens de pied étaient protégés par une brigantine, tunique de cuir matelassée et parfois renforcée de plaques de fer. Ils étaient munis en outre d'un casque, de gantelets et de canons de bras, qui résistaient aux coups d'épée et de dague.

Épée à une main pour le combat rapproché

Épais doublet de grosse toile

L'Église toute-puissante

L'Église au Moyen Âge gouverne l'ensemble de la société. Elle édicte ses propres lois, a ses tribunaux et possède d'immenses domaines fonciers. Tout au long du Moyen Âge, elle s'enrichit grâce aux dons des rois et des nobles et aussi grâce aux testaments des bourgeois qui lui lèguent une part de leur fortune pour le salut de leur âme. Le catholicisme est alors la seule religion en Europe de l'ouest et sa pratique est obligatoire. Les gens de tous âges et de toutes conditions sont baptisés, ils assistent à la messe toutes les semaines, se marient devant le prêtre et sont enterrés religieusement. Jusque dans ses moindres détails, la vie sociale ou intime est réglée par l'Église. Même les régimes alimentaires sont soumis aux lois religieuses, et l'ensemble de la société se prive de viande pendant les quarante jours du Carême.

▲ Gros bonnets

Les archevêques ont autorité sur plusieurs évêques ; puissants personnages, ils siègent au Conseil du roi et influent sur la vie politique.

L'encensoir oscillait au bout de sa chaîne dorée.

◄ Venu du ciel

Suspendu au-dessus de l'autel, cet oiseau doré symbolise l'Esprit saint qui, selon les chrétiens, est l'une des trois formes de Dieu. Pendant la messe, la consécration du pain et du vin rappelle la mort du Christ sur la croix.

L'encens incandescent était placé dans l'encensoir.

► Que de trésors !

L'Église tire une partie de ses immenses richesses de la vente des indulgences. Par cette pratique, elle vend aux croyants le pardon de leurs péchés et la promesse de la vie éternelle. Chaque grande abbaye ou cathédrale a les moyens de s'offrir un trésor où s'amoncellent de somptueux vases sacrés comme ce calice en argent du XIVᵉ siècle.

▲ Pauvre comme Job

Si le haut clergé regorge de richesses, les curés de paroisse sont souvent proches de la misère. Leur mission est d'éduquer le peuple, mais, en général, ils manquent eux-mêmes de culture religieuse. Néanmoins, ils connaissent quelques rudiments de latin et d'Écriture sainte qu'ils enseignent aux enfants. Leurs revenus proviennent de la dîme mais aussi des offrandes des paroissiens à l'occasion des mariages, baptêmes et enterrements.

► L'odeur de l'encens

Pendant la messe, le prêtre parfumait l'air avec de la fumée d'encens, peut-être pour éloigner l'odeur pestilentielle du diable. Écouter la messe faisait partie des devoirs du chrétien qui gagnait ainsi son paradis. Favorisés, les riches allaient jusqu'à payer un « trentain », soit trente messes dites à leur intention.

▲ Visions d'enfer

L'Église enseignait qu'au moment de la mort, les bonnes et les mauvaises actions de chacun durant sa vie étaient pesées sur une balance. Selon le cas, l'âme était portée au paradis par des anges ou traînée en enfer par les démons. Conçues pour impressionner les croyants, les représentations de l'enfer et de ses multiples tourments étaient toujours terrifiantes.

▶ La proie des flammes

Rares étaient ceux qui osaient défier l'autorité de l'Église. Considérés comme hérétiques, ils risquaient de sévères punitions. Ils étaient jugés par un tribunal ecclésiastique et souvent torturés pour leur faire avouer leur faute, puis condamnés au bûcher. Le mouvement cathare, qui s'épanouit dans le sud de la France au XIIᵉ siècle, était un danger pour l'Église catholique. En 1208, le pape ordonna la « croisade contre les Albigeois », qui fut un effroyable massacre. Pendant 26 ans, des milliers de cathares furent torturés et brûlés vifs jusqu'à disparition complète de cette hérésie, qui était aussi une rébellion politique à laquelle adhéraient les grands barons du Sud et bon nombre d'évêques prêts à fonder une nouvelle Église.

Cet ange balance
un encensoir d'or.

Cet ange tient
une église miniature.

**Anges en bois doré
provenant de la nef
d'une église**

Cet ange porte
un reliquaire.

La broderie représente
le Christ couronnant
la Vierge.

▼ Mitre d'évêque

Selon la hiérarchie catholique, les évêques exercent leur autorité sur tout le clergé à l'intérieur d'un territoire appelé diocèse. La plupart des évêques du Moyen Age sont issus de familles nobles et se mêlent bien plus de politique que de questions purement religieuses. Si certains sont érudits et pieux, d'autres ne croient en rien, comme l'affirmait cet évêque italien, reconnaissant avoir accepté la charge « pour la richesse et les honneurs ».

Mitre d'évêque
du XIVᵉ siècle

▲ Vicaire du Christ

Réputé infaillible et représentant Dieu sur terre, le pape est à la tête de l'Église catholique. Cet anneau en or massif appartenait au pape Eugène IV, qui régna de 1431 à 1447.

La construction des cathédrales

Dans chaque ville, dans chaque village, la première construction de pierre avec le château est l'église, car la maison de Dieu doit être solide. Avec leurs fenêtres étroites et leurs murs très larges portant une voûte de pierre, la plupart des églises de style roman construites au XIe siècle étaient sombres. À partir du XIIe siècle, elles se révèlent trop exiguës pour contenir la population urbaine en pleine expansion et pour accueillir le nombre croissant des pèlerins. Les reconstructions commencent. Dès 1140, l'abbé de Saint-Denis, près de Paris, lance une nouvelle architecture que l'on nommera plus tard gothique. Le poids des voûtes ne repose plus sur les murs mais sur les piliers et sur les arcs-boutants extérieurs : le mur ainsi allégé peut s'ouvrir et les nefs ressemblent bientôt à des vaisseaux de lumière.

▲ Le grand élan
Entre 1140 et 1350, 80 cathédrales furent élevées en France. Celle de Reims, commencée en 1211, marque l'apogée du style gothique.

Roue-cage d'écureuil

Des encoches empêchent les crocs de glisser.

La dent centrale se ferme en dernier, bloquant les deux autres.

Lourdes pierres hissées dans un panier

Auge à mortier

Tailleur de pierre mesurant un angle

▲ Attention à la louve
Les maçons du Moyen Age utilisaient, pour monter les lourdes charges, un système de levage appelé louve. Les crocs de celle-ci se refermaient sur la pierre et s'y trouvaient maintenus dans des encoches prévues à cet effet. Ensuite la pierre était hissée au moyen d'une poulie. Ce système permettait de lever des poids pouvant atteindre une tonne.

▲ La cage à écureuil
À mesure que les murs s'élevaient, les hommes devaient monter les pierres et le mortier de plus en plus haut. La rotation d'une roue de bois appelée « cage à écureuil », entraînée par un seul homme marchant à l'intérieur, réduisait la force nécessaire pour hisser ces matériaux. Un dispositif de poulies et de potences venait compléter ce système ingénieux.

Ces cintres de bois supportent les volées de l'arc-boutant pendant la construction. On les enlève dès que le mortier est sec.

Les cintres sont assemblés au sol puis hissés et fixés en place.

Les bras viennent se loger dans des encoches prévues à cet effet.

L'écartement des bras bloque la pierre et l'empêche de tomber.

▲ Indémodable
La forme des outils a peu évolué entre le Moyen Age et le début du XXe siècle. Cette louve moderne n'aurait pas déparé le chantier d'une cathédrale.

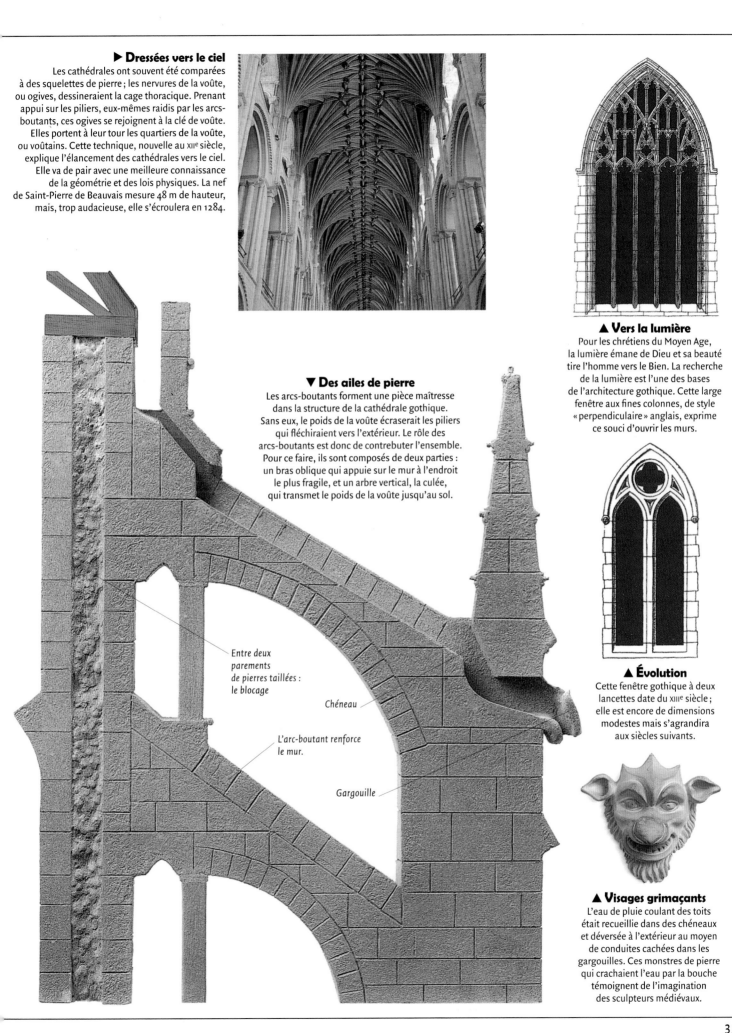

▶ Dressées vers le ciel

Les cathédrales ont souvent été comparées à des squelettes de pierre ; les nervures de la voûte, ou ogives, dessineraient la cage thoracique. Prenant appui sur les piliers, eux-mêmes raidis par les arcs-boutants, ces ogives se rejoignent à la clé de voûte. Elles portent à leur tour les quartiers de la voûte, ou voûtains. Cette technique, nouvelle au XIIᵉ siècle, explique l'élancement des cathédrales vers le ciel. Elle va de pair avec une meilleure connaissance de la géométrie et des lois physiques. La nef de Saint-Pierre de Beauvais mesure 48 m de hauteur, mais, trop audacieuse, elle s'écroulera en 1284.

▲ Vers la lumière

Pour les chrétiens du Moyen Age, la lumière émane de Dieu et sa beauté tire l'homme vers le Bien. La recherche de la lumière est l'une des bases de l'architecture gothique. Cette large fenêtre aux fines colonnes, de style « perpendiculaire » anglais, exprime ce souci d'ouvrir les murs.

▼ Des ailes de pierre

Les arcs-boutants forment une pièce maîtresse dans la structure de la cathédrale gothique. Sans eux, le poids de la voûte écraserait les piliers qui fléchiraient vers l'extérieur. Le rôle des arcs-boutants est donc de contrebuter l'ensemble. Pour ce faire, ils sont composés de deux parties : un bras oblique qui appuie sur le mur à l'endroit le plus fragile, et un arbre vertical, la culée, qui transmet le poids de la voûte jusqu'au sol.

Entre deux parements de pierres taillées : le blocage

Chéneau

L'arc-boutant renforce le mur.

Gargouille

▲ Évolution

Cette fenêtre gothique à deux lancettes date du XIIIᵉ siècle ; elle est encore de dimensions modestes mais s'agrandira aux siècles suivants.

▲ Visages grimaçants

L'eau de pluie coulant des toits était recueillie dans des chéneaux et déversée à l'extérieur au moyen de conduites cachées dans les gargouilles. Ces monstres de pierre qui crachaient l'eau par la bouche témoignent de l'imagination des sculpteurs médiévaux.

Le vitrail, art de la lumière

Pour la grande majorité des croyants du Moyen Âge ne sachant ni lire ni écrire, l'église ou la cathédrale ne sont pas seulement des endroits où l'on prie ; ce sont des lieux de beauté et de lumière, des livres d'images, des galeries d'art dirions-nous aujourd'hui, tellement plus somptueuses que les modestes logis alentour. Les portails des cathédrales étaient couverts de statues peintes et de sculptures qui servaient aussi à l'enseignement du message chrétien. À l'intérieur, des peintures murales évoquaient la vie des saints et celle du Christ. Quant aux vitraux des cathédrales gothiques, ils inondaient de lumière colorée la nef et les piliers, créant une atmosphère propice à la prière.

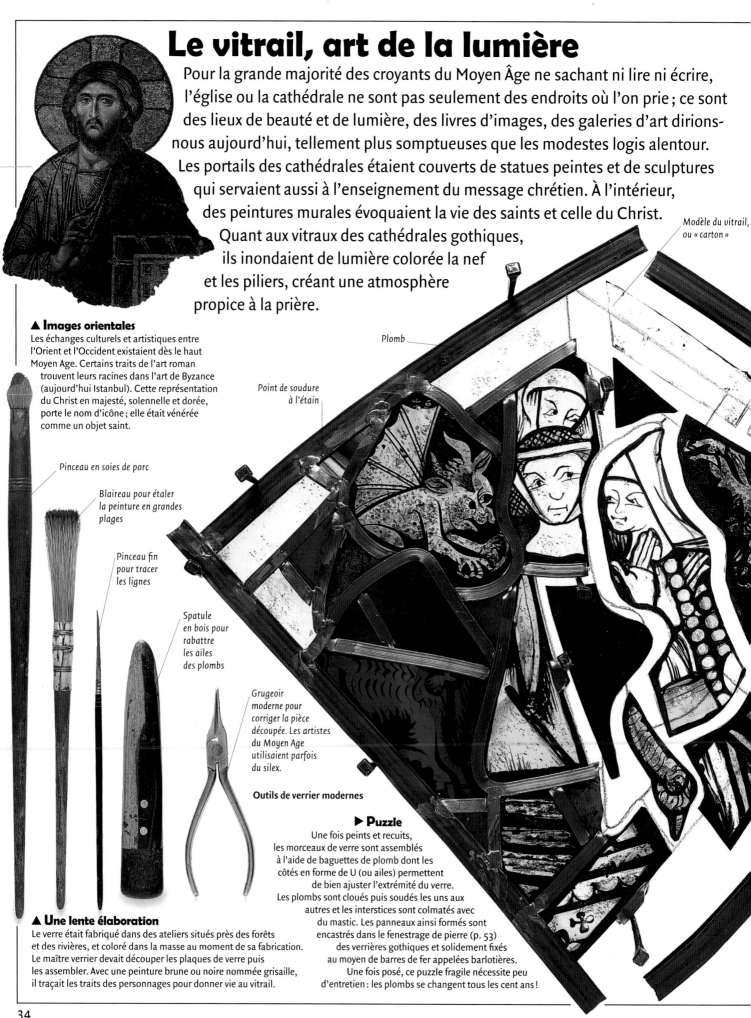

Modèle du vitrail, ou « carton »

Plomb

Point de soudure à l'étain

▲ Images orientales
Les échanges culturels et artistiques entre l'Orient et l'Occident existaient dès le haut Moyen Age. Certains traits de l'art roman trouvent leurs racines dans l'art de Byzance (aujourd'hui Istanbul). Cette représentation du Christ en majesté, solennelle et dorée, porte le nom d'icône ; elle était vénérée comme un objet saint.

Pinceau en soies de porc

Blaireau pour étaler la peinture en grandes plages

Pinceau fin pour tracer les lignes

Spatule en bois pour rabattre les ailes des plombs

Grugeoir moderne pour corriger la pièce découpée. Les artistes du Moyen Age utilisaient parfois du silex.

Outils de verrier modernes

▶ Puzzle
Une fois peints et recuits, les morceaux de verre sont assemblés à l'aide de baguettes de plomb dont les côtés en forme de U (ou ailes) permettent de bien ajuster l'extrémité du verre. Les plombs sont cloués puis soudés les uns aux autres et les interstices sont colmatés avec du mastic. Les panneaux ainsi formés sont encastrés dans le fenestrage de pierre (p. 53) des verrières gothiques et solidement fixés au moyen de barres de fer appelées barlotières. Une fois posé, ce puzzle fragile nécessite peu d'entretien : les plombs se changent tous les cent ans !

▲ Une lente élaboration
Le verre était fabriqué dans des ateliers situés près des forêts et des rivières, et coloré dans la masse au moment de sa fabrication. Le maître verrier devait découper les plaques de verre puis les assembler. Avec une peinture brune ou noire nommée grisaille, il traçait les traits des personnages pour donner vie au vitrail.

Un diable est prêt à sauter sur les trois bavardes.

Les scènes sont encadrées par une bordure blanche sans motif qui sera sacrifiée lors de la dépose du vitrail pour changer les plombs.

Les traits de contour sont visibles sur cette pièce.

Bordure couverte par les plombs

◄ Comme une bande dessinée

Hormis les grandes figures de saints ou d'évêques qui occupent souvent les verrières des parties hautes, les petites scènes racontent des épisodes de la Bible ou donnent des leçons de morale. Ici : les commérages de trois femmes sous le regard du diable. Morale : « Ne dis pas de mal de ton voisin ! »

▲ L'art de la taille

La scène et les personnages représentés sur le vitrail étaient d'abord dessinés sur une table à la craie ou sur une couche de plâtre. Le maître verrier posait le verre sur ce modèle, le « carton », puis découpait la forme désirée avec une pointe de fer rougie. Les bords tranchants étaient limés avec de la poudre de verre. La peinture, ou grisaille, s'étalait en plusieurs couches plus ou moins épaisses selon le relief que l'on voulait créer. Ensuite, elle était cuite à basse température pour qu'elle adhère bien au verre.

Le verre se glisse entre les ailes des baguettes de plomb.

Charlemagne était, au Moyen Age, une image mythique de roi très-chrétien.

▲ Le bleu de Chartres

Les verriers obtiennent les couleurs du verre au moment de sa cuisson en ajoutant à la pâte des oxydes tirés de certains minerais. Le manganèse donne des bruns et des pourpres, le cuivre donne le rouge vif, le bleu vient du cobalt qui produit des couleurs intenses comme le fameux bleu profond utilisé par les verriers de la cathédrale de Chartres au début du XIIIe siècle.

Des clous fixent ensemble le verre et les plombs.

Le plomb, métal très souple, s'adapte à la forme des pièces.

Un retable prenait place au-dessus d'un autel.

◄ Pour tout l'or du monde

Les retables, accrochés au-dessus des autels, retraçaient des scènes de l'Évangile. Celui-ci, peint en 1333 par Simone Martini et Lippo Memmi pour la cathédrale de Sienne, illustre l'Annonciation : l'archange Gabriel, agenouillé devant la Vierge Marie, lui annonce qu'elle va être la mère de Jésus. Le style est plus souple et naturel que sur l'icône byzantine bien que les personnages se détachent sur le même fond d'or, symbole par excellence de la splendeur divine.

Les moines, ces frères de tous ordres

« Nous devons fonder des écoles au service de Dieu », écrivait saint Benoît de Nursie (480-547), qui fonda au Mont-Cassin, en Italie, un monastère où les moines vivaient, priaient et travaillaient ensemble. S'appuyant sur cet exemple de vie communautaire, il créa une règle monastique, la règle bénédictine (de Benoît), qui se répandit en Europe à partir du VIIe siècle. Cette règle était basée sur trois principes simples : la pauvreté individuelle, la chasteté, et l'obéissance aux autorités religieuses. Après un an passé au monastère, les novices s'engageaient à respecter ces principes en prononçant leurs vœux et recevaient une couronne symbolique sous la forme de la tonsure (un cercle de cheveux rasés sur la tête).

Moine celte du XIIe siècle

Ils devenaient alors frères de l'ordre bénédictin dont l'abbaye la plus célèbre fut celle de Cluny fondée en 910.

Tonsure

Style en os

Tablette de cire sur un support de corne

▲ Une bonne gifle
Une des activités des moines consistait à recopier les livres à la main. Ils gravaient les psaumes et les prières sur des tablettes de cire à l'aide d'un poinçon, ou « style ». D'après saint Bernard de Clairvaux (1090-1153), ce travail était une manière de servir Dieu. « Chaque fois que vous écrivez un mot, vous giflez le diable », disait-il.

▲ Bouillon de culture
Lorsque l'Empire romain s'écroule, au Ve siècle, la culture gréco-latine disparaît en même temps. Seuls, les moines savent encore lire le grec et le latin, et leurs bibliothèques contiennent des livres rares. Le moine anglais Bède le Vénérable (673-735) est l'un de ces érudits qui ont transmis à l'Occident l'héritage de l'Antiquité classique.

▲ À apprendre par cœur
La règle bénédictine permettait un certain confort, mais de manière très réglementée. Par exemple, les moines ne disposaient pas de bougies pendant les offices religieux ; ils devaient donc savoir par cœur les psaumes et les prières qu'ils récitaient.

▼ Ordre et désordre
Dès le Xe siècle, bien des établissements religieux n'obéissaient plus aux principes de pauvreté et de chasteté imposés par la Règle. On voit ci-dessous un moine mis au carcan pour avoir eu une liaison avec une femme. C'est l'abbaye de Cluny, fondée en 910, qui se chargea de restaurer la règle bénédictine à travers la France et une partie de l'Europe. À la fin du XIe siècle apparaissent d'autres ordres religieux, plus stricts : l'ordre de la Grande-Chartreuse, basé sur la solitude et le silence, et celui des Cisterciens, sous l'égide de Bernard de Clairvaux.

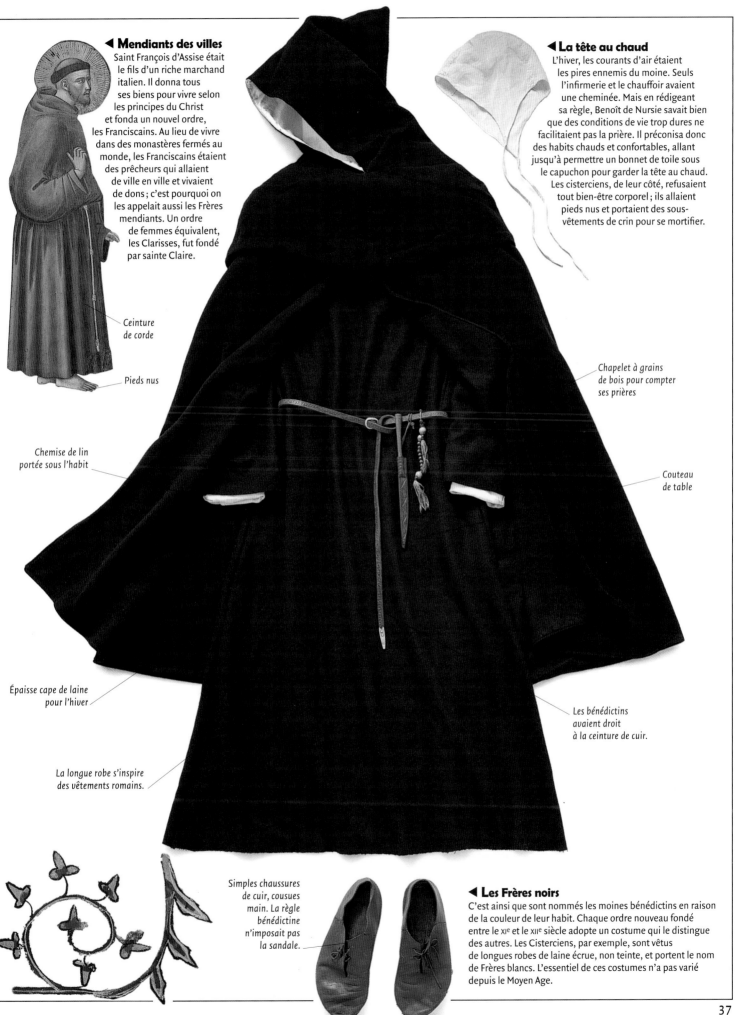

◄ Mendiants des villes

Saint François d'Assise était le fils d'un riche marchand italien. Il donna tous ses biens pour vivre selon les principes du Christ et fonda un nouvel ordre, les Franciscains. Au lieu de vivre dans des monastères fermés au monde, les Franciscains étaient des prêcheurs qui allaient de ville en ville et vivaient de dons ; c'est pourquoi on les appelait aussi les Frères mendiants. Un ordre de femmes équivalent, les Clarisses, fut fondé par sainte Claire.

Ceinture de corde

Pieds nus

Chemise de lin portée sous l'habit

Épaisse cape de laine pour l'hiver

La longue robe s'inspire des vêtements romains.

◄ La tête au chaud

L'hiver, les courants d'air étaient les pires ennemis du moine. Seuls l'infirmerie et le chauffoir avaient une cheminée. Mais en rédigeant sa règle, Benoît de Nursie savait bien que des conditions de vie trop dures ne facilitaient pas la prière. Il préconisa donc des habits chauds et confortables, allant jusqu'à permettre un bonnet de toile sous le capuchon pour garder la tête au chaud. Les cisterciens, de leur côté, refusaient tout bien-être corporel ; ils allaient pieds nus et portaient des sous-vêtements de crin pour se mortifier.

Chapelet à grains de bois pour compter ses prières

Couteau de table

Les bénédictins avaient droit à la ceinture de cuir.

Simples chaussures de cuir, cousues main. La règle bénédictine n'imposait pas la sandale.

◄ Les Frères noirs

C'est ainsi que sont nommés les moines bénédictins en raison de la couleur de leur habit. Chaque ordre nouveau fondé entre le XIe et le XIIe siècle adopte un costume qui le distingue des autres. Les Cisterciens, par exemple, sont vêtus de longues robes de laine écrue, non teinte, et portent le nom de Frères blancs. L'essentiel de ces costumes n'a pas varié depuis le Moyen Age.

La vie calme des monastères

Au milieu des tourments qui secouent le Moyen Âge, le monastère apparaît comme une citadelle de prière et de sérénité. Il se tient à l'écart du monde, gouverné par un abbé ou une abbesse, et échappe au contrôle de la société. Un novice qui entre dans la communauté monastique s'engage pour la vie. Derrière les murs du monastère, le temps de chacun est organisé autour du service de Dieu. Huit fois par jour, toutes les trois heures, les moines se rendent aux offices religieux. Le reste de la journée est consacré à la lecture, à la prière, à l'enseignement des novices et à différentes tâches matérielles comme le jardinage, la cuisine ou l'intendance. Le scriptorium, l'atelier où l'on crée les manuscrits enluminés, requiert également beaucoup de temps et de patience. Le monastère a aussi pour mission de secourir les pauvres et d'accueillir dans son hostellerie les voyageurs, qu'ils soient marchands ou pèlerins.

▲ La ronde des litanies

Les moines se rendent huit fois par jour à l'église du monastère pour y louer Dieu. Dès 2 heures du matin, les matines les tirent du sommeil. Le dortoir est situé non loin de l'église, afin d'épargner un long trajet en pleine nuit. Au XIᵉ siècle, les moines de l'abbaye de Cantorbéry (Angleterre) devaient chanter 55 psaumes sans pouvoir s'asseoir mais bien des bénédictins disposaient de bancs.

Ruche d'osier recouverte d'argile

Ruche d'osier tressée en brins de saule ou de noisetier

Fourreau de paille coiffant la ruche en hiver pour la protéger du froid

Statue de la Vierge à l'Enfant

Église abbatiale

Maquette d'une abbaye au XVᵉ siècle

▲ Des fermes modèles

Les cisterciens pensaient que les travaux manuels étaient le meilleur chemin vers la vie éternelle. Installés dans des régions arides ou marécageuses, leurs monastères devinrent vite des modèles d'exploitations agricoles grâce au travail acharné des frères convers (moines destinés aux tâches agricoles et domestiques). Parmi les productions des abbayes, les ruches permettaient de récolter du miel et de la cire.

▶ Petites sœurs des pauvres

Les moniales prononçaient les mêmes vœux que les moines (p. 36) et vivaient de la même façon. Dévouées aux pauvres et aux malades, elles étaient souvent responsables d'un hôpital attenant au monastère. Cet hôpital étant ouvert à tous, chacun devait y être accueilli comme « s'il était le Christ en personne » mais il était plus un hospice pour les mendiants qu'un véritable lieu de soins, car bien des maladies étaient incurables à cette époque. Néanmoins, les patients y trouvaient un lit et de la nourriture, ce qui était déjà beaucoup !

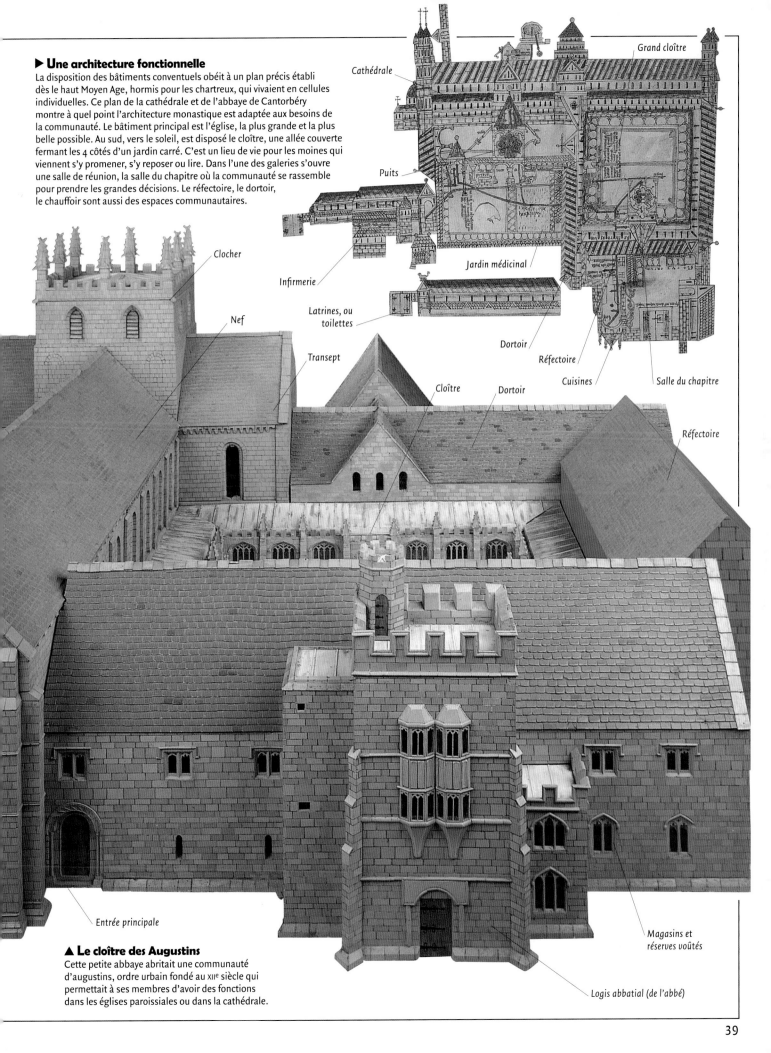

▶ Une architecture fonctionnelle

La disposition des bâtiments conventuels obéit à un plan précis établi dès le haut Moyen Age, hormis pour les chartreux, qui vivaient en cellules individuelles. Ce plan de la cathédrale et de l'abbaye de Cantorbéry montre à quel point l'architecture monastique est adaptée aux besoins de la communauté. Le bâtiment principal est l'église, la plus grande et la plus belle possible. Au sud, vers le soleil, est disposé le cloître, une allée couverte fermant les 4 côtés d'un jardin carré. C'est un lieu de vie pour les moines qui viennent s'y promener, s'y reposer ou lire. Dans l'une des galeries s'ouvre une salle de réunion, la salle du chapitre où la communauté se rassemble pour prendre les grandes décisions. Le réfectoire, le dortoir, le chauffoir sont aussi des espaces communautaires.

Cathédrale

Grand cloître

Puits

Jardin médicinal

Infirmerie

Latrines, ou toilettes

Dortoir

Réfectoire

Cuisines

Salle du chapitre

Clocher

Nef

Transept

Cloître

Dortoir

Réfectoire

Entrée principale

Magasins et réserves voûtés

Logis abbatial (de l'abbé)

▲ Le cloître des Augustins

Cette petite abbaye abritait une communauté d'augustins, ordre urbain fondé au XIIe siècle qui permettait à ses membres d'avoir des fonctions dans les églises paroissiales ou dans la cathédrale.

L'écriture, gardienne de la mémoire

Jusqu'au XIIᵉ siècle, les livres sont rares et fort coûteux. Ce sont les moines qui, dans les *scriptoria* des abbayes, passent des milliers d'heures à recopier les écrits anciens, à rédiger de nouveaux textes et à les illustrer. Car seuls les gens d'Église savent lire et écrire. Cherchant à montrer la splendeur de Dieu, les moines ajoutent au texte des pages éclatantes de couleurs, des feuilles d'or et des lettrines au décor savant. Vers 1200, lorsque s'ouvrent les universités, les livres deviennent aussi l'affaire de copistes laïcs qui travaillent dans des ateliers urbains. À cette époque, les nobles et les princes commandent des livres de prières, ou « livres d'heures », richement décorés par des peintres réputés et la lecture devient l'un des passe-temps de l'aristocratie. Quelques livres, comme la Bible, apparaissent aussi dans les maisons bourgeoises.

▲ 1 - Au pied de la lettre
Les lettrines, ces lettres majuscules qui marquent le début des chapitres, font l'objet d'un décor exubérant et s'étirent parfois sur toute la hauteur de la page. Les couleurs les plus chatoyantes s'y mêlent, souvent rehaussées d'or. La première étape dans la réalisation de ce décor est l'application d'un enduit à base de gypse, de sucre et de blanc d'œuf qui fera adhérer la feuille d'or au dessin.

La feuille d'or adhère au dessin couvert de colle.

L'épaisseur de l'enduit donne une impression de relief aux rinceaux d'or.

Chaque petite feuille est polie séparément.

▲ 3 - D'un coup de dent
Une fois que la feuille d'or est posée sur la colle, l'enlumineur la polit afin qu'elle brille. Il utilise pour cela une dent de chien ou de loup fixée sur un manche en bois. Ensuite, il peint les bordures de sa lettrine en utilisant des pigments naturels pour les couleurs.

► Voyage culturel
Quel que fût le rendement des moines et des copistes, les livres, écrits à la main, demeuraient une rareté. Hormis la Bible que certains possédaient chez eux, les étudiants devaient voyager de monastère en monastère afin d'étudier des textes moins connus. Ici, un étudiant de l'école de la cathédrale de Chartres.

▲ 2 - Temps de pose
La colle doit sécher toute une nuit. Le lendemain, l'enlumineur l'humecte à nouveau afin qu'elle soit humide puis il pose une feuille d'or et la presse fermement sur la couche de colle. Il en détache ensuite les fragments à l'aide d'une brosse douce.

◄ 4 - Garantie plusieurs siècles
La lettrine achevée est une œuvre d'art miniature. Le décor floral qu'elle renferme peut être peuplé d'animaux fantastiques, de silhouettes humaines ou d'entrelacs selon le pays et l'époque où le manuscrit est réalisé.

Rinceaux de style gothique

Monture en os

◄ Bésicles
Penchés pendant des heures sur leur écritoire, les copistes s'abîmaient les yeux. Les premières lunettes apparaissent au XIIIᵉ siècle et se répandent rapidement lorsque la lecture se vulgarise après l'invention de l'imprimerie, en 1450.

▲ Petits écoliers

À la suite des écoles de monastères, qui existent depuis le haut Moyen Âge, on voit se développer des écoles autour de la cathédrale, liées à l'expansion des villes et de la bourgeoisie. Les enfants (surtout des garçons destinés à la carrière religieuse ou au commerce) y reçoivent un enseignement rudimentaire : écrire, compter, lire le latin dans les textes de la Bible et apprendre des psaumes par cœur. Le règlement était sans doute sévère et les maîtres usaient parfois du fouet, mais peut-on vraiment savoir si ces enfants étaient malheureux ?

▲ Le livre du prophète

Pour les musulmans, le Coran contient la parole de Dieu, telle qu'elle a été dite au prophète Mahomet. Au début, la parole de Dieu n'a pas été écrite mais mémorisée par les croyants. Après la mort de Mahomet en 632, les premières versions écrites sont apparues. Pendant tout le Moyen Âge, des scribes ont créés de splendides éditions du Coran richement décorées de motifs géométriques.

La plume est débarrassée de ses barbes pour ne pas gêner les doigts.

Pointe pour tracer les contours

Style　**Plumes d'oie**

Ces encriers se glissent dans un trou prévu sur l'écritoire.

Encriers de corne

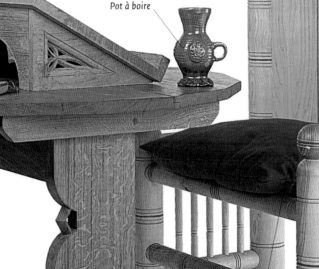

Cruche de bière ou de vin

Choix de plumes

Écritoire

Pot à boire

Chaise à dossier droit, en bois de frêne

Livres modèles

Le plateau de la table peut se rabattre.

▶ L'art d'écrire

La rédaction des manuscrits latins exigeait une réelle concentration et le scribe restait plusieurs heures devant son ouvrage, utilisant plusieurs types de calligraphie. Il posait le parchemin sur une écritoire dont l'inclinaison permettait un angle adéquat de la plume d'oie. Dans la main gauche, il tenait un canif qui servait à gratter les fautes ou à retailler la plume, jusqu'à 60 fois par jour !

La table pliante, tabula plicata en latin, se range contre le mur.

Moulure décorative sur les parties visibles

Coussin pour augmenter le confort du siège

Pieds de chaise décorés de lignes rouge vermillon

Sur les routes des pèlerinages

Le pèlerinage est un moment fort dans la vie d'un chrétien du Moyen Âge. Des raisons multiples le poussent à entreprendre ce long voyage : prouver sa dévotion à Dieu, demander la rémission de ses péchés, obtenir sa guérison ou celle d'un proche, remercier pour un bonheur obtenu... La Ville sainte de Jérusalem est la destination la plus recherchée, tout comme Rome, la capitale de la chrétienté, mais la basilique de l'apôtre Jacques à Compostelle (Espagne) attire aussi des milliers de pèlerins. Sur les routes, riches et pauvres voyagent en groupes, chantent des hymnes et échangent des histoires le soir dans les tavernes. Pour beaucoup d'entre eux, le pèlerinage est un moyen de voir du pays, de rencontrer de nouveaux visages : des vacances en quelque sorte !

▲ Sur la route
La plupart des pèlerins vont à pied. Vêtus de la longue robe, coiffés du chapeau de feutre à large bord, ils ont sur l'épaule une besace et en main un bâton de marche.

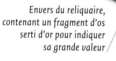

L'avers du médaillon présente une croix entourée de perles et recouverte de cristal de roche.

Coquille Saint-Jacques, emblème de saint Jacques de Compostelle

Petit flacon, ou ampoule, pour transporter l'eau bénite

Insigne d'étain de saint Thomas Becket

▲ Souvenirs
Comme les touristes d'aujourd'hui, les pèlerins d'antan ramenaient des badges ou des insignes attestant leur passage dans tel ou tel sanctuaire. Ils accrochaient cet insigne à leur chapeau pour indiquer leur condition de pèlerin ; la coquille Saint-Jacques, emblème de Compostelle, était le plus répandu.

▲ ▶ Trafic de reliques
Les reliques n'étaient pas seulement gardées dans les sanctuaires. Certains les emportaient avec eux dans un pendentif ou dans des écrins précieux, comme celui-ci. Les chevaliers en plaçaient quelques fragments dans la garde de leur épée.

Envers du reliquaire, contenant un fragment d'os serti d'or pour indiquer sa grande valeur

Représentation du Christ

Le corps de Becket est enveloppé d'un linceul.

Becket est porté au ciel par des anges.

▲ ▶ Meurtre dans la cathédrale
Ce reliquaire émaillé du XIIe siècle illustre le meurtre de Thomas Becket dans la cathédrale de Cantorbéry, sur ordre du roi Henri II. L'archevêque-martyr fut aussitôt canonisé et sa tombe devint un important lieu de pèlerinage.

L'un des chevaliers du roi décapite Becket.

▲ Le poète des pèlerins
Le poète anglais Geoffrey Chaucer (vers 1340-1400) nous a laissé une image savoureuse de la société médiévale et des pèlerinages. À travers un long poème en vers intitulé « Les Contes de Cantorbéry », il met en scène un groupe de trente pèlerins parmi lesquels un chevalier, un meunier, un moine, une prieure et un cuisinier échangent leurs impressions et leurs expériences.

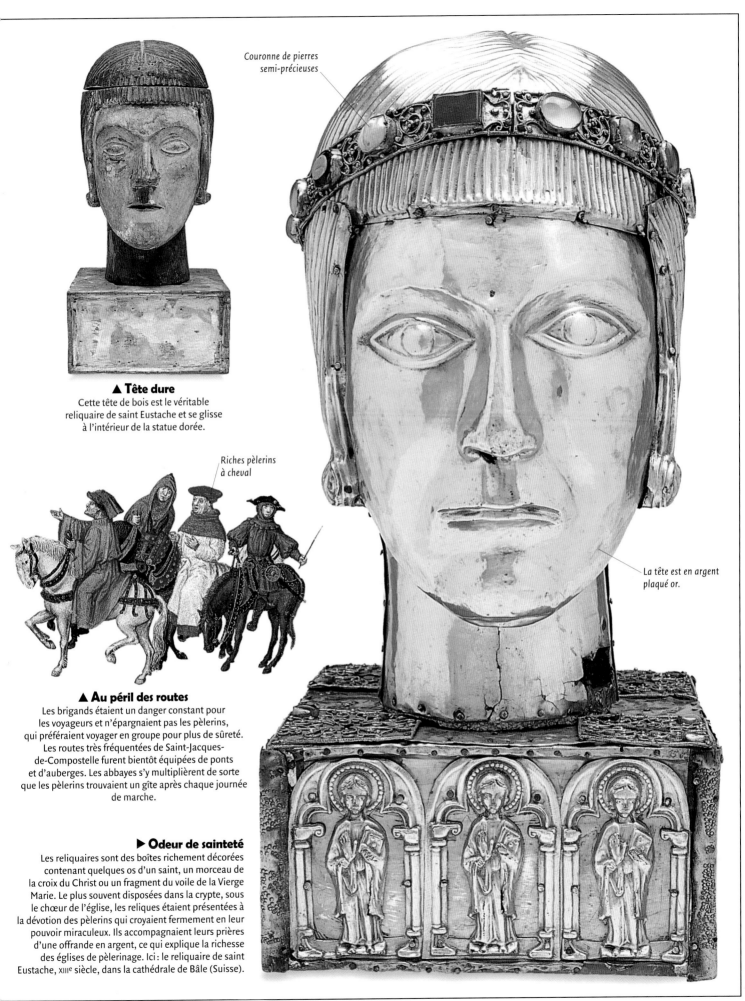

▲ Tête dure
Cette tête de bois est le véritable
reliquaire de saint Eustache et se glisse
à l'intérieur de la statue dorée.

Couronne de pierres
semi-précieuses

La tête est en argent
plaqué or.

Riches pèlerins
à cheval

▲ Au péril des routes
Les brigands étaient un danger constant pour
les voyageurs et n'épargnaient pas les pèlerins,
qui préféraient voyager en groupe pour plus de sûreté.
Les routes très fréquentées de Saint-Jacques-
de-Compostelle furent bientôt équipées de ponts
et d'auberges. Les abbayes s'y multiplièrent de sorte
que les pèlerins trouvaient un gîte après chaque journée
de marche.

▶ Odeur de sainteté
Les reliquaires sont des boîtes richement décorées
contenant quelques os d'un saint, un morceau de
la croix du Christ ou un fragment du voile de la Vierge
Marie. Le plus souvent disposées dans la crypte, sous
le chœur de l'église, les reliques étaient présentées à
la dévotion des pèlerins qui croyaient fermement en leur
pouvoir miraculeux. Ils accompagnaient leurs prières
d'une offrande en argent, ce qui explique la richesse
des églises de pèlerinage. Ici : le reliquaire de saint
Eustache, XIIIe siècle, dans la cathédrale de Bâle (Suisse).

Savant et raffiné, le monde islamique

Mahomet le Prophète et fondateur de l'islam meurt en 632. Pendant le siècle suivant, la civilisation musulmane se développe et les armées arabes se lancent à la conquête d'un vaste empire qui s'étend bientôt de l'Espagne à la Perse et à l'Inde. Au sein du monde islamique, le commerce se développe, favorisant la circulation des biens autant que celle des idées et du savoir. Les savants musulmans, héritiers de la science grecque, sont en avance sur leurs contemporains occidentaux. Remarquables médecins et astronomes, ils sont aussi excellents mathématiciens, inventent l'algèbre (de l'arabe *al-jebr* : réduction) et transmettent à l'Europe leur système de chiffres, encore utilisé aujourd'hui. Malgré les crises, les croisades et la méfiance des chrétiens du Moyen Âge vis-à-vis des musulmans, qu'ils nomment infidèles, le commerce et les échanges perdurent entre ces deux mondes.

▲ L'Alhambra
Les musulmans sont finalement repoussés hors d'Espagne en 1492 par les armées des rois catholiques. Leur dernière possession en Espagne était la ville de Grenade où se trouvait un sublime palais-forteresse appelé l'Alhambra. Réaménagé et redécoré au XIVe siècle, c'est un monument extraordinaire avec des colonnades de marbre, des fontaines et des bassins.

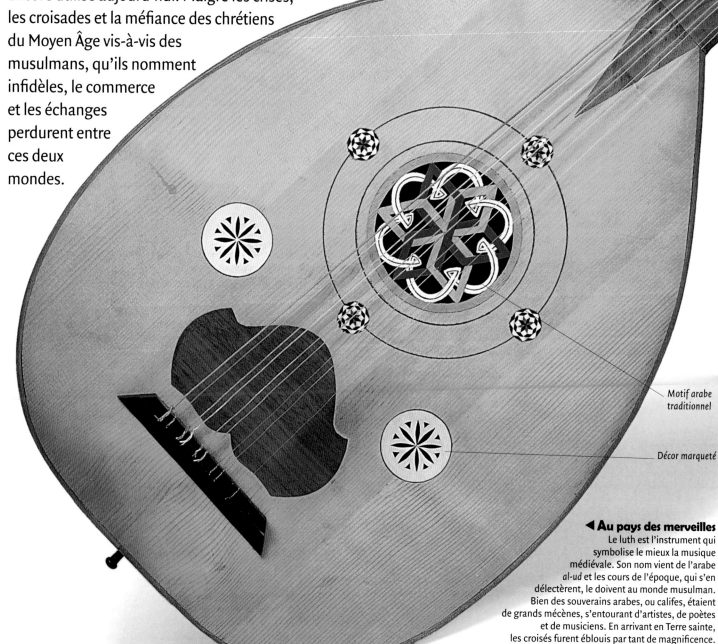

Motif arabe traditionnel

Décor marqueté

◄ Au pays des merveilles
Le luth est l'instrument qui symbolise le mieux la musique médiévale. Son nom vient de l'arabe *al-ud* et les cours de l'époque, qui s'en délectèrent, le doivent au monde musulman. Bien des souverains arabes, ou califes, étaient de grands mécènes, s'entourant d'artistes, de poètes et de musiciens. En arrivant en Terre sainte, les croisés furent éblouis par tant de magnificence.

▲ Trains de luxe

Les caravanes de chameaux portaient de précieux fardeaux à travers les montagnes et les déserts. Dans les souks de Bagdad et de Damas s'échangeaient une foule d'objets précieux : tapis persans, soieries et épices indiennes, or et ivoire venus d'Afrique, pierres précieuses et fourrures...

▼ Grâce au ciel

La réputation des Arabes en matière d'astronomie n'est plus à faire. Ce sont eux qui inventèrent l'astrolabe, un instrument permettant de calculer la latitude en mesurant la hauteur du soleil au-dessus de l'horizon. Les caravaniers l'utilisèrent dans le désert avant de le transmettre aux Occidentaux qui l'embarquèrent sur leurs navires.

▲ Héros de la guerre sainte

Saladin (1138-1193) fut l'un des plus grands sultans de l'histoire arabe. Il reprit Jérusalem aux croisés et leur infligea bien des défaites. Il était respecté par ses ennemis qui le considéraient comme un homme sage.

◀ Des hommes de science

Même pendant les croisades, les Européens apprirent beaucoup des médecins arabes, dont le savoir était de loin supérieur au leur. Tous les médicaments, potions et onguents étaient préparés par l'apothicaire tel que nous le voyons ci-contre. Le grand médecin iranien Avicenne (980-1037) rédigea une encyclopédie médicale qui resta pendant des siècles la base de la médecine européenne.

◀ Lumineuse calligraphie

Les Arabes sont également célèbres pour leur art du décor, dans le domaine des émaux et de la céramique tout particulièrement. Cette lampe, destinée à éclairer une mosquée, est ornée de motifs géométriques et de lettres arabes. La religion interdit en effet de représenter l'humain et les autres êtres vivants dans les lieux de culte.

45

Le commerce et l'argent

Au début du Moyen Âge, les routes étant peu sûres et les moyens de transport rudimentaires, villes et villages vivent en autarcie. Cependant, un renouveau ne tarde pas à se faire sentir, lié aux progrès des rendements agricoles qui permettent de dégager des bénéfices et entraînent une plus grande circulation de l'argent. Dès le XIIe siècle, les réseaux commerciaux, maritimes et fluviaux s'intensifient. Des routes terrestres traversent les cols alpins, plus tard les navires de Gênes et de Venise, chargés de produits orientaux, s'aventurent sur l'océan Atlantique pour atteindre les ports florissants d'Europe du Nord. Ils repartent chargés de laine, de fourrures et de bois. À leur tour, les navires allemands et hollandais livrent des métaux et du blé aux pays méditerranéens en échange de vin, d'huile et de sel.

La plume était ébarbée avant emploi.

La moitié d'une taille

► Bien taillée
Une dette pouvait s'inscrire sur une latte de bois appelée taille. Le nombre des encoches indiquait le montant de la somme due. On fendait la taille en deux dans le sens de la longueur ; le débiteur et le créancier en gardaient chacun une moitié. Quand la dette était payée, on détruisait la taille.

◄ L'heure du bilan
Les marchands devaient tenir des livres de comptes rigoureux où apparaissait l'état de leurs finances. Au XIVe siècle, les marchands de Florence inventèrent un livre de comptabilité à double entrée. Chaque opération y figurait en deux colonnes, une pour le débit, l'autre pour le crédit, et les totaux de chaque colonne devaient s'équilibrer.

Encrier de corne et plume

▲ Chandelle de cire
Ce chandelier servait à faire fondre la cire pour sceller les lettres et les documents.

◄ Gardez la monnaie
Les marchands conservaient leur monnaie dans de petites boîtes telles que celle-ci. La plupart des pièces étaient en argent mais en 1252, Florence frappa le florin, la première monnaie d'or depuis l'époque romaine.

Sceaux du XIVe siècle

▲ Signé et cacheté
À mesure que le commerce se développait, la paperasserie s'accroissait. Bientôt, les marchands durent employer des secrétaires pour les aider à rédiger le courrier. Toutes les écritures, telles que les lettres de change, les contrats, les demandes de paiement, devaient porter la signature et le sceau du marchand concerné. Les lettres de change remplaçaient avantageusement la monnaie de métal et circulaient à moindre risque.

Fermoir de bourse
de la fin du Moyen Age

Bourse et deniers d'argent

▼ L'ancêtre de la calculette

Au Moyen Age, le papier comme le parchemin sont des denrées coûteuses, et bien rares sont ceux qui en utilisent pour leurs comptes. Les commerçants inventent donc un système de calcul sur un tableau de bois divisé en colonnes. Des jetons sont alignés dans une colonne jusqu'au nombre 10 puis déplacés dans la colonne suivante qui est celle des dizaines et ainsi de suite.

◀ La Ligue hanséatique

Dès le XIIIe siècle, les ports d'Allemagne du Nord et des Pays-Bas s'unirent pour former la Ligue hanséatique, une association de marchands défendant les mêmes intérêts. Lutter contre les pirates, obtenir un monopole en contrôlant le commerce étranger, tels étaient les points forts de cette ligue qui devint très puissante. En 1400, elle ne comptait pas moins de 160 villes.

▶ La pesée

Les changeurs de l'époque portaient sur eux de petites balances, ou trébuchets, pour déterminer la valeur de chaque monnaie qui valait son poids d'argent.

Trébuchet

Clés de coffres-forts datant du XIVe siècle

◀ Des banquiers bien assis

Banquier vient du mot «banc» car les changeurs italiens travaillaient à l'extérieur, assis sur un banc. Grâce à la commission qu'ils retenaient, ils ne tardèrent pas à devenir riches et les villes italiennes furent dès le XIIIe siècle des places financières très prospères. Cependant le métier comportait des risques : ainsi deux banques florentines firent faillite en 1530, lorsque Edouard III (1327-1377), roi d'Angleterre, se révéla incapable de payer ses dettes.

Dans les villes médiévales

La plupart des villes en Europe sont de fondation antique, antérieure parfois à la conquête romaine. Mais c'est à partir du XIe siècle que les cités médiévales prennent leur essor, en même temps que le commerce et le développement de l'agriculture. Très vite, les bourgeois tentent d'échapper à la tutelle du roi ou du seigneur, demandent des franchises (libertés) pour la circulation des marchandises et fondent des communes libres. En même temps, la ville s'entoure de remparts, voit naître des associations de métiers et s'organise comme centre économique dominant la campagne alentour.

▲ Veilleurs de nuit

À la tombée de la nuit sonne le couvre-feu. Chacun doit s'empresser de terminer son travail et de rentrer chez soi. Les rues médiévales n'étant pas éclairées, la ville est plongée dans une obscurité totale et il ne fait pas bon s'aventurer dehors même si les soldats du guet exécutent des rondes pour décourager brigands et pilleurs.

▲ À la belle enseigne

La ville du Moyen Age est avant tout un foyer économique avec des marchés animés et des rues aux nombreuses échoppes. Comme la majeure partie de la population est illettrée, les artisans accrochent au-dessus de leur porte des enseignes symbolisant le métier qu'ils exercent : une botte pour le bottier, un pain pour le boulanger, etc. En général les artisans de même métier sont regroupés par rues et l'on trouve encore dans les villes d'aujourd'hui la rue des Tanneurs ou celle de la Poissonnerie.

Cité française du XVe siècle

▲ Derrière ses murs

La ville médiévale est entourée d'une enceinte. Ces murs fortifiés l'isolent de la campagne et permettent de contrôler la circulation des biens et des gens. Aux portes de la ville, les marchands doivent s'acquitter d'un péage, ou octroi.

▶ La commune

Cherchant à se débarrasser de l'autorité du seigneur ou de l'évêque, les villes préfèrent s'administrer elles-mêmes et désignent un conseil de bourgeois influents pour les gouverner et défendre leurs intérêts. Ceux-ci portent le nom d'échevins dans le Nord, de consuls dans le Sud et dirigent la cité sous la présidence d'un maire qu'ils ont élu. La ville ainsi gérée possède son sceau et ses propres lois.

▲ Toujours plus haut

Les grandes familles bourgeoises se disputent les hautes fonctions au sein du conseil de la ville. À San Gimignano, en Italie, chacune d'entre elles a bâti une tour pour affirmer sa puissance, malgré l'interdiction de dépasser la hauteur de l'hôtel de ville ! Ainsi, au XIIe siècle, la ville se trouvait hérissée de 70 tours.

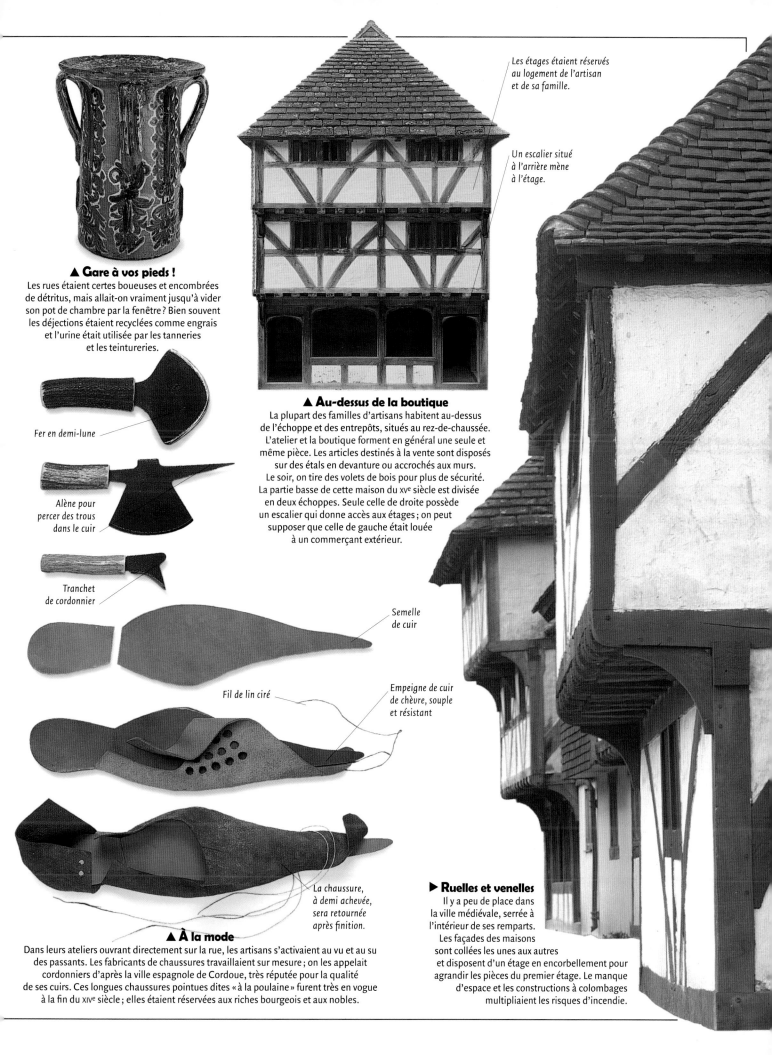

▲ Gare à vos pieds !

Les rues étaient certes boueuses et encombrées de détritus, mais allait-on vraiment jusqu'à vider son pot de chambre par la fenêtre ? Bien souvent les déjections étaient recyclées comme engrais et l'urine était utilisée par les tanneries et les teintureries.

Fer en demi-lune

Alène pour percer des trous dans le cuir

Tranchet de cordonnier

Fil de lin ciré

La chaussure, à demi achevée, sera retournée après finition.

▲ À la mode

Dans leurs ateliers ouvrant directement sur la rue, les artisans s'activaient au vu et au su des passants. Les fabricants de chaussures travaillaient sur mesure ; on les appelait cordonniers d'après la ville espagnole de Cordoue, très réputée pour la qualité de ses cuirs. Ces longues chaussures pointues dites « à la poulaine » furent très en vogue à la fin du XIVe siècle ; elles étaient réservées aux riches bourgeois et aux nobles.

Les étages étaient réservés au logement de l'artisan et de sa famille.

Un escalier situé à l'arrière mène à l'étage.

▲ Au-dessus de la boutique

La plupart des familles d'artisans habitent au-dessus de l'échoppe et des entrepôts, situés au rez-de-chaussée. L'atelier et la boutique forment en général une seule et même pièce. Les articles destinés à la vente sont disposés sur des étals en devanture ou accrochés aux murs. Le soir, on tire des volets de bois pour plus de sécurité. La partie basse de cette maison du XVe siècle est divisée en deux échoppes. Seule celle de droite possède un escalier qui donne accès aux étages ; on peut supposer que celle de gauche était louée à un commerçant extérieur.

Semelle de cuir

Empeigne de cuir de chèvre, souple et résistant

▶ Ruelles et venelles

Il y a peu de place dans la ville médiévale, serrée à l'intérieur de ses remparts. Les façades des maisons sont collées les unes aux autres et disposent d'un étage en encorbellement pour agrandir les pièces du premier étage. Le manque d'espace et les constructions à colombages multipliaient les risques d'incendie.

Les corporations limitent les risques du métier

En 1262, le *Livre des métiers de Paris* recensait dans la capitale cent métiers différents, ayant chacun son organisation professionnelle et sa juridiction. On donne souvent le nom de corporations aux guildes et confréries. Celles-ci comprennent les maîtres, les compagnons et les apprentis, qui prêtent un serment de fidélité. Leur principal objet est de défendre les intérêts de ses membres en instaurant une aide financière et une solidarité entre tous. Les corporations se développent à partir du XIIᵉ siècle pour atteindre leur apogée au XVᵉ. Elles deviennent des organisations économiques très puissantes, ayant le monopole du commerce et jouant un grand rôle dans la vie de la cité.

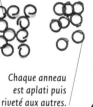

▲ Du savoir-faire
La guilde des Armuriers exigeait un travail hautement qualifié pour la fabrication des armures de plates. Au XVᵉ siècle, la région de Milan (Italie) était l'un des grands centres européens pour l'armurerie et des villages entiers vivaient de cette activité.

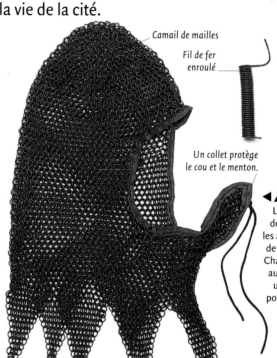

Camail de mailles

Fil de fer enroulé

On obtient des anneaux en coupant le fil.

Rivets

Un collet protège le cou et le menton.

Chaque anneau est aplati puis riveté aux autres.

◄▲► Longue patience
La réalisation des hauberts de mailles, plus anciens que les armures de plates, nécessite de la patience et de l'habileté. Chaque anneau est lié à quatre autres avant d'être fermé par un rivet. Un haubert entier pouvait compter jusqu'à mille mailles, ou anneaux.

Pince

▲ Les femmes au travail
Les femmes n'étaient pas admises dans certaines corporations, mais rien ne les empêchait d'apprendre un métier et del'exercer. Beaucoup d'entre elles travaillaientavec leur mari ou leur père. En général, le tissage et le filage leur étaient réservés comme la confection des coiffes, bonnets et dentelles. Il existait aussi des brodeuses de grand renom.

Le vert s'obtient en mélangeant de la guède et de la gaude.

Avec le pastel ou l'indigo, on obtient du bleu.

Lin teint avec de la garance

La garance donne des variantes de l'orange au rouge sombre.

La gaude donne une belle couleur jaune.

L'écorce de chêne teinte en brun.

Écheveaux de laine teintée

► Les goûts et les couleurs
L'industrie textile tient une grande place dans l'économie médiévale et emploie un grand éventail de professions. Après le tissage, le drap de laine est débarrassé de ses impuretés, foulé aux pieds dans de grandes cuves par les foulons, puis lavé et enfin teint. La teinture se faisait à chaud, à l'aide de colorants naturels comme le pastel (bleu), la gaude (jaune), ou la garance (rouge foncé).